BALISES

Collection dirigée

G000139324

L'Avare

Molière

- **des repères pour situer l'auteur, ses écrits, l'œuvre étudiée**

- **une analyse de l'œuvre sous forme de résumés et de commentaires**

- **une synthèse littéraire thématique**

- **des jugements critiques, des sujets de travaux, une bibliographie**

Évelyne Amon

Sommaire

© Éditions Nathan 1995,9, rue Méchain – 75014 Paris.
ISBN 2-09-180773-7.

La vie de Molière

UNE JEUNESSE BOURGEOISE
(1622-1645)

Né le 15 janvier 1622, Jean-Baptiste Poquelin – le futur Molière – passe toute son enfance et sa jeunesse à Paris. Un fait majeur marque ses jeunes années : il perd sa mère à l'âge de dix ans. Il est alors pris en main par les jésuites du collège de Clermont (aujourd'hui lycée Louis-le-Grand) qui lui donnent une éducation de haut niveau et qui, dans leur programme d'étude, intègrent la lecture des auteurs comiques latins comme Plaute. Issu de la bourgeoisie commerçante, l'enfant est destiné, comme la tradition le veut à cette époque, à reprendre plus tard la charge de son père qui est « tapissier ordinaire du roi ». Mais en attendant, il doit, comme tous les enfants de bourgeois aisés, passer par une des meilleures écoles de Paris. Durant ces années, il consacre une grande partie de ses loisirs au théâtre : Jean-Baptiste et son grand-père fréquentent assidûment l'hôtel de Bourgogne et les Italiens, deux salles où sont données des comédies. De même, il est un admirateur de Scaramouche, un comédien italien qui présente des spectacles de pantomime sur le Pont-Neuf.

Après ses années de collège (1632-1639), le jeune garçon s'engage dans des études de droit et décroche un diplôme d'avocat. Parallèlement, fidèle à sa passion du théâtre, il passe une bonne partie de son temps parmi les artistes et les comédiens qui se produisent dans les rues populaires du quartier des Halles où il habite.

LES CHOIX DE L'ADULTE

En 1643, Jean-Baptiste Poquelin se lie d'amitié avec les frères Béjart et leur sœur Madeleine dont la fille (ou sœur – l'histoire n'a pas tranché), prénommée Armande, épousera

Molière en 1662. Au contact de ces jeunes gens créatifs, le jeune homme n'hésite plus sur son avenir : ni le métier de son père ni la profession d'avocat ne le tentent. Dès 1644, il prend le pseudonyme de Molière et s'associe avec ses amis pour fonder une nouvelle troupe, l'Illustre-Théâtre, dont il devient le directeur.

Les débuts de la troupe s'avèrent laborieux. Il est difficile de sortir de l'anonymat et de s'imposer dans une ville comme Paris où dominent deux troupes d'acteurs extrêmement puissantes : celles de l'hôtel de Bourgogne et de l'hôtel du Marais. Accablé de dettes, Molière, après un séjour de quelques jours à la prison du Châtelet, doit se rendre à l'évidence : une jeune troupe n'a aucune chance de percer à Paris. L'Illustre-Théâtre doit faire ses premières armes en province.

UN COMÉDIEN AMBULANT
(1645-1658)

Pendant treize ans, entre vingt-quatre et trente-six ans, Molière parcourt les routes de France, et se produit dans les villes de passage où il donne tantôt des tragédies, tantôt des pièces drôles, comédies ou farces à la mode italienne qui plaîsent tant à l'époque.

En ce temps-là, le métier de comédien ambulant est un métier d'aventurier. Des routes peu sûres, un public qui n'est jamais acquis d'avance, l'hostilité fréquente des autorités, à quoi il faut ajouter les difficultés de la vie collective, n'ont pourtant pas raison de sa passion. Ces années très formatrices donnent à Molière une expérience de terrain irremplaçable et confirment sa vocation. Acteur, il devient aussi créateur et peu à peu joue bientôt ses propres pièces : en 1655-56, *L'Étourdi* et *Le Dépit amoureux* lancent, avec succès, sa carrière d'auteur interprète.

Depuis 1653, l'Illustre-Théâtre est devenu la « troupe du prince de Conti » ; cette promotion vaut à la troupe non seulement d'appréciables subventions mais aussi un prestige qui va lui ouvrir les portes de la capitale.

LE COMÉDIEN FAVORI DU ROI
(1658-1673)

Octobre 1658 : c'est le retour de Molière à Paris. L'Illustre-Théâtre, qui compte maintenant dix artistes, joue au Louvre, devant le roi Louis XIV. Molière avec son *Docteur amoureux* obtient un triomphe. Il devient le comédien favori de la Cour et s'installe au théâtre du Petit-Bourbon. C'est le début d'une carrière phénoménale qui va lui permettre de rester sur le devant de la scène jusqu'à sa mort, en dépit des scandales que certaines de ses pièces, jugées dérangeantes, vont déchaîner.

En 1659, *Les Précieuses ridicules* assoient sa réputation et lui ouvrent les portes d'un nouveau théâtre : le Palais-Royal. Dès lors, les comédies se succèdent devant un public partagé. Si les amis inconditionnels de Molière adorent son théâtre, les types ou les groupes sociaux victimes de ses satires deviennent ses ennemis jurés : tournés en dérision, démystifiés, les pédantes et les pédants, les médecins, les bourgeois, les faux dévots créent des cabales, s'acharnent contre l'auteur le plus populaire de l'époque tandis que les troupes concurrentes (l'hôtel de Bourgogne et l'hôtel du Marais), trop heureuses de pouvoir nuire à celui qui leur fait de l'ombre, jettent de l'huile sur le feu. Mais heureusement, dans la tourmente, le roi reste le protecteur de Molière et l'autorise à s'exprimer en toute liberté, même si quelques pièces *(Tartuffe, Dom Juan)* doivent être retirées de l'affiche pour calmer les esprits surchauffés. De même, la solide amitié de certains confrères comme La Fontaine ou Boileau lui apporte un soutien précieux.

En 1662, Molière se marie avec Armande Béjart, une jeune femme de vingt ans sa cadette. C'est le début, pour lui, d'une vie conjugale agitée et pleine de déceptions, malgré la venue au monde en 1664 d'un premier enfant dont Louis XIV en personne sera le parrain.

Parallèlement, les comédies s'enchaînent au rythme d'une ou deux par an : *L'École des femmes* (1662), *Le Mariage forcé* (1664), *Tartuffe* (mai 1664), *Dom Juan* (1665), *Le Misanthrope*, *Le Médecin malgré lui* (1666), *Amphitryon*, *L'Avare* (1668), *Monsieur de Pourceaugnac* (1669), *Le Bourgeois gentilhomme* (1670), *Les Fourberies de Scapin* (1671), *Les Femmes savantes* (1672), *Le Malade imaginaire* (1673).

LA TROUPE DU ROI

Devenue la « Troupe du roi », l'Illustre-Théâtre bénéficie d'une subvention annuelle (une « pension »), qui assure aux comédiens une vie confortable et permet à Molière de créer en toute liberté sans subir les pressions de la nécessité. Mais la santé de l'artiste présente des faiblesses : depuis 1665, une fluxion de poitrine (congestion pulmonaire) l'a laissé affaibli et il peste contre les médecins qui se montrent incapables de le guérir. Pourtant, la maladie ne l'incite pas à ralentir son rythme de création. Épuisé, le 17 février 1673, Molière s'écroule sur scène. La quatrième représentation du *Malade imaginaire* lui sera fatale : il meurt quelques heures après avoir été transporté à son domicile de la rue de Richelieu ; il est âgé de 51 ans.

Les circonstances de son enterrement continuent de peser sur notre conscience collective : à une époque où les comédens sont assimilés à des gens de mauvaise vie, Molière, en théorie, ne peut recevoir de funérailles chrétiennes. Pourtant, le roi, une dernière fois, intervient en sa faveur en autorisant des funérailles religieuses. Mais la cérémonie a lieu la nuit, à la sauvette et si huit cents personnes suivent le cortège, aucune pompe officielle n'entoure l'événement.

VIE ET ŒUVRE DE MOLIÈRE	ÉVÉNEMENTS POLITIQUES, SOCIAUX ET CULTURELS
	1617 Début du règne de Louis XIII.
	1618 Début de la guerre de Trente ans.
	1621 Naissance de La Fontaine.
1622 Naissance le 15 janvier à Paris de Jean-Baptiste Poquelin.	**1622** Richelieu nommé cardinal.
	1623 Naissance de Pascal.
	1626 Naissance de Madame de Sévigné.
	1628 Mort de Malherbe.
	1631 Renaudot fonde *La Gazette*.
1632 Décès de la mère de Molière.	
1635 Entre au Collège de Clermont.	**1635** Fondation de l'Académie française.
	1637 Corneille, *Le Cid*. Descartes, *Discours de la méthode*.
1639 Quitte le collège de Clermont.	**1639** Naissance de Racine.
1640 Molière se lie d'amitié avec la famille Béjart.	
1642 Obtient sa licence en droit.	**1642** Mort de Richelieu.
1643 Fonde l'Illustre-Théâtre.	**1643** Mort de Louis XIII. Début de la régence d'Anne d'Autriche.
1645 Molière est emprisonné pour dettes.	**1645** Naissance de La Bruyère.
	1648 Début de la Fronde. Fin de la guerre de Trente ans (Traité de Westphalie).
1653 L'Illustre-Théâtre sous la protection du prince de Conti.	**1653** Condamnation du jansénisme. Fouquet, surintendant des finances.
1655 *L'Étourdi* (Lyon).	
1656 *Le Dépit amoureux*.	
1657 Le prince de Conti, converti, retire sa protection à l'Illustre-Théâtre.	**1657** Depuis 1656 paraissent les *Lettres provinciales* de Pascal.

VIE ET ŒUVRE DE MOLIÈRE	ÉVÉNEMENTS POLITIQUES, SOCIAUX ET CULTURELS
1658 Molière arrive à Paris. L'Illustre-Théâtre devient la « Troupe de Monsieur » et occupe la salle du Petit-Bourbon.	**1658** Création de l'Académie des Sciences.
1659 Triomphe des *Précieuses ridicules*.	**1659** Corneille, *Œdipe* (tragédie). Paix des Pyrénées : l'Espagne cède l'Artois et le Roussillon à la France.
1660 *Sganarelle ou le Cocu imaginaire*.	**1660** Mariage de Louis XIV et de Marie-Thérèse. Le roi fait brûler les *Provinciales*.
1661 La troupe s'installe au Palais-Royal. *L'École des maris*. *Les Fâcheux*.	**1661** Le Vau commence à construire le château de Versailles. Mort de Mazarin. Arrestation de Fouquet.
1662 Mariage avec Armande Béjart. *L'École des femmes*.	**1662** Mort de Pascal. *Mémoires* de La Rochefoucauld. Colbert ministre.
1663 Querelle de *L'École des femmes*. *La Critique de l'École des femmes*. *L'Impromptu de Versailles*.	**1663** Premières pensions accordées aux écrivains.
1664 *Le Mariage forcé* : le roi y danse, en costume égyptien. Interdiction du premier *Tartuffe*. Louis XIV devient le parrain du premier enfant de Molière.	**1664** Condamnation de Fouquet.
1665 *Dom Juan* attaqué par le parti dévot, en dépit du soutien de Louis XIV. La troupe devient « Troupe du roi ». Le 27 novembre, Molière souffre d'une fluxion de poitrine.	**1665** *Maximes* de La Rochefoucauld. *Contes et Nouvelles* de La Fontaine.
1666 *Le Misanthrope*. *Le Médecin malgré lui*.	**1666** Mort d'Anne d'Autriche. *Satires* (I à VI) de Boileau. Fondation de l'Académie des Sciences.
1667 Interdiction de la deuxième version de *Tartuffe* : *l'Imposteur*. Molière et Armande Béjart se séparent. Mlle Du Parc quitte la troupe pour l'hôtel de Bourgogne.	**1667** *Andromaque* de Racine.

VIE ET ŒUVRE DE MOLIÈRE	ÉVÉNEMENTS POLITIQUES, SOCIAUX ET CULTURELS
1668 *Amphitryon.* *Georges Dandin.* *L'Avare.*	**1668** *Fables* de La Fontaine.
1669 Le roi lève l'interdiction frappant *Tartuffe.* Recette record de 2860 livres. Mort du père de Molière. *Monsieur de Pourceaugnac.*	**1669** Racine, *Britannicus.*
1670 *Le Bourgeois gentilhomme.* *Psyché.*	**1670** Racine, *Bérénice.* Édition des *Pensées* de Pascal. Mort d'Henriette d'Angleterre, femme de Monsieur, frère du roi.
1671 *Les Fourberies de Scapin.* *La Comtesse d'Escarbagnas.*	**1671** Début de la correspondance entre Mme de Sévigné et sa fille. La France se prépare à faire la guerre à la Hollande.
1672 *Les Femmes savantes.* Mort de Madeleine Béjart.	**1672** Racine, *Bajazet.* La France déclare la guerre à la Hollande. Louis XIV s'installe à Versailles.
1673 *Le Malade imaginaire.* Décès de Molière le 17 février.	**1673** Racine : *Mithridate.*
	1680 Fondation de la Comédie-Française.
	1687 Début de la querelle des Anciens et des Modernes.

L'œuvre de Molière

LA RÉFÉRENCE DU THÉÂTRE COMIQUE

Molière est la référence du théâtre comique dans l'histoire littéraire. Son inspiration, venue tout droit du théâtre latin, emprunte de nombreux traits à la farce du Moyen Âge et à la comédie italienne (la *commedia dell'arte*, littéralement : comédie de fantaisie dans laquelle les acteurs improvisent à partir d'un scénario) qui s'était développée dès la seconde moitié du XVIe siècle. Ces trois sources nourrissent son œuvre. Cependant, jusqu'à l'âge d'or du théâtre classique, la comédie est perçue comme un genre populaire auquel on reproche traditionnellement sa vulgarité. Il faut attendre Molière pour qu'elle change de nature et de statut : avec lui, elle devient un art noble à vocation morale. Du point de vue social, elle rallie les plus hautes instances de l'État : le roi Louis XIV en personne est un fervent admirateur de Molière.

PRINCIPES LITTÉRAIRES ET CHOIX ESTHÉTIQUES

La comédie de Molière obéit à des principes littéraires et à des choix esthétiques stricts.

Les principes littéraires
1. Corriger les défauts des hommes par le rire. Toute sa vie, Molière a répété que le rire avait une fonction éducative : « Les plus beaux traits d'une sérieuse morale sont moins puissants, le plus souvent, que ceux de la satire ; et rien ne reprend mieux la plupart des hommes que la peinture de leurs défauts [...] On veut bien être méchant ; mais on ne veut point être ridicule » (1669, Préface de *Tartuffe*).

L'argument n'est pas neuf : tous les écrivains subversifs prétendent faire œuvre de morale. Pourtant Molière reste crédible dans son rôle de moraliste car chacune de ses pièces met en scène un défaut humain : comme La Bruyère dans ses portraits, il fustige systématiquement, au gré de ses comédies, l'hypocrisie, la coquetterie, la flatterie, la pédanterie, la préciosité, l'avarice... autant d'attitudes qui affectent non seulement son siècle mais aussi, de façon plus générale, la nature humaine.

2. Une règle d'or : plaire. L'œuvre de Molière obéit tant bien que mal aux règles de l'art classique (unités de temps, de lieu, d'action ; bienséances). Cependant, le cadre imposé par le théâtre classique se révèle souvent trop étroit pour son inspiration. Dans la *Critique de l'École des femmes* où il théorise son art, Molière revendique le droit de créer plus librement, son principal souci n'étant pas de faire une œuvre orthodoxe qui respecte, au détail près, les normes poétiques de l'époque, mais de satisfaire le public en répondant à ses attentes : « Vous êtes de plaisantes gens avec vos règles, dont vous embarrassez les ignorants et nous étourdissez tous les jours [...]. Je voudrais bien savoir si la grande règle de toutes les règles n'est pas de plaire » (1663, *Critique de l'École des femmes*, Dorante, scène 6).

3. Le respect du public. En véritable artiste populaire, Molière accorde un crédit illimité au grand public dont il apprécie l'ouverture d'esprit et dont il souligne l'absence de préjugés : « Je me fierais assez à l'approbation du parterre, par la raison qu'entre ceux qui le composent, il y en a plusieurs qui sont capables de juger d'une pièce selon les règles et que les autres en jugent par la bonne façon d'en juger, qui est de se laisser prendre aux choses, et de n'avoir ni prévention aveugle, ni complaisance affectée, ni délicatesse ridicule (*Critique de l'École des femmes*, Dorante, scène 5).

4. La Cour, mesure du bon goût. La Cour constitue pour Molière la référence du bon goût. Si cet avis peut paraître suspect en raison de la dépendance financière d'un artiste pensionné par le roi, il n'en reste pas moins que l'honnête homme, modèle humain de l'époque, est un produit de la noblesse : « La grande épreuve de toutes vos comédies, c'est le jugement de la Cour [...] ; c'est son goût qu'il faut étudier pour trouver l'art de réussir [...] ; il n'y a point de lieu où les décisions soient si justes [...] ; on s'y fait une manière d'esprit qui, sans comparaison, juge plus finement des choses que tout le savoir embrouillé des pédants » (*Critique de l'École des femmes*, Dorante, scène 6).

Les choix esthétiques

1. La farce. Parmi les genres comiques, la farce est le plus populaire parce qu'elle s'inspire directement de types et de situations empruntés à la tradition vulgaire qui fait passer le rire avant la bienséance. Molière aime ce genre axé sur le burlesque et la bouffonnerie. Peu sophistiqué, le comique de farce présente des effets garantis auprès d'un public plus désireux de se distraire que de réfléchir. On trouve dans l'œuvre de Molière plusieurs farces pures (*Le Médecin volant*, *Les Précieuses ridicules*, *Sganarelle ou le Cocu magnifique*, *Le Médecin malgré lui* sont les plus célèbres). Mais la plupart de ses pièces intègrent des scènes cocasses où la caricature le dispute à la satire, comique de nature plus noble.

2. La comédie-ballet. Comédie avec chansons et danses intégrées servant d'intermèdes, la comédie-ballet est un genre inventé par Molière. Le roi Louis XIV, excellent danseur, raffolait de ces pièces où le divertissement offrait un entracte plaisant à la représentation. Les quinze comédies-ballets de Molière attestent chez cet artiste un talent particulièrement varié et renvoie l'image d'un homme de spectacle. Les plus célèbres comédies-ballets de Molière sont les suivantes : *Les Fâcheux* (1661), comédie « faite, apprise et représentée en quinze jours » (Avertissement) ; *L'Amour médecin* (1665) ; *Le Bourgeois gentilhomme* (1670) ; *Le Malade imaginaire* (1673).

3. La comédie de mœurs et de caractères. Fondée sur la satire, elle fait référence à l'actualité contemporaine de Molière et met sur scène des types empruntés à la société de l'époque. Les précieuses ridicules, les femmes savantes, les bourgeois gentilhommes, les tartuffes ou les dons Juans ne sont pas des individus sortis de l'imagination de Molière. Ils font référence à des problèmes de société comme l'émancipation des filles, l'ascension sociale de la bourgeoisie, l'hypocrisie religieuse, le libertinage : chez Molière, la comédie de mœurs ou de caractères dénonce des conduites, des attitudes, des valeurs qui mettent en péril l'ordre ou qui représentent une menace pour le bonheur humain. Certaines de ces pièces *(Le Misanthrope, Tartuffe, Dom Juan)* sont parfois réunies sous l'appellation de « grande comédie » : la maîtrise de la forme y est remarquable ; le rire s'accompagne d'une réflexion philosophique sur des notions essentielles telles que la vérité, Dieu, ou le droit.

4. La comédie critique. Molière a à son actif deux comédies dans lesquelles il utilise ses personnages comme porte-paroles de sa conception de l'art dramatique. *La Critique de l'École des femmes* (1663) et *L'Impromptu de Versailles* lui permettent de répondre à ses détracteurs et d'exposer son point de vue personnel sur la comédie.

UNE PANOPLIE COMIQUE INÉPUISABLE

On trouve dans l'œuvre de Molière toutes les catégories de comique.

1. Le comique de mots, qui est fondé sur des procédés linguistiques ou rhétoriques comme la répétition, le calembour, l'antithèse, la personnification, le déformation, la rupture de construction, le patois, etc. Il atteste chez Molière un sens exceptionnel de la langue.

2. Le comique de caractère, qui repose sur l'observation psychologique et saisit les personnages à travers leurs attitudes, leurs idées fixes, leurs réactions.

3. Le comique de situation, qui montre les personnages dans des situations extravagantes. Il utilise des procédés tels que l'absurde, le quiproquo, le coup de théâtre.

4. Le comique de gestes, qui est directement hérité de la farce. Souvent proche du burlesque, il utilise les attitudes, les mouvements du corps, les mimiques, les grimaces. C'est un comique très visuel qui s'inspire de la technique du mime.

Sommaire
de *L'Avare*

ACTE I

Acte d'exposition :
un avare et sa cassette, et des amours contrariées

L'action se déroule dans la maison d'Harpagon, un riche bourgeois, veuf et père de deux enfants en âge de se marier. Élise, sa fille, vient de se fiancer en secret avec Valère, un gentilhomme qui, après avoir sauvé la vie de la jeune fille lors d'un naufrage, s'est introduit dans la maison d'Harpagon en qualité d'intendant (scène 1).

Cléante, le fils d'Harpagon, a rencontré Mariane, une jeune fille pauvre pour laquelle il est prêt à toutes les folies. Pestant contre l'avarice et le despotisme de son père qui l'empêchent d'apporter de l'aide à sa bien-aimée, le jeune homme envisage même de s'enfuir pour tenter sa chance à l'étranger (scène 2).

Harpagon, quant à lui, ne se préoccupe que de son argent : il est obsédé par la cassette de dix mille écus qu'il a cachée dans son jardin. Craignant à tout instant d'être volé, il soupçonne tout le monde, à commencer par La Flèche, le valet de Cléante, à qui il fait subir un interrogatoire et une fouille en bonne et due forme (scène 3).

Ses enfants n'échappent pas à sa suspicion. Mais une fois que ses doutes sont calmés, il annonce une série de projets matrimoniaux : il a l'intention d'épouser Mariane, tandis qu'il destine à sa fille le vieux seigneur Anselme et à Cléante une veuve de sa connaissance (scène 4).

Élise s'oppose farouchement à ce projet, mais Harpagon ne peut renoncer à un gendre qui accepte de prendre sa fille sans dot. Valère, appelé à la rescousse, fait mine de donner raison à l'avare, se réservant la possibilité de fuir avec sa bien-aimée en cas de besoin (scène 5).

ACTE II

Acte de péripéties :
Harpagon prêteur sur gage et séducteur

Cléante a besoin de quinze mille francs : son valet a trouvé un prêteur qui accepte d'avancer la somme moyennant un taux d'usure exorbitant et des conditions extravagantes (scène 1).

Quand arrive maître Simon qui est chargé de la transaction, le prêteur et l'emprunteur se reconnaissent : il s'agit d'Harpagon et de Cléante. Une scène violente oppose alors le père et le fils (scène 2).

Mais survient Frosine, une intrigante qui se flatte auprès de La Flèche d'obtenir d'Harpagon de bons subsides en échange de ses services. Rendu hardi par l'absence de son maître qui s'est éclipsé quelques instants, le valet met en garde Frosine contre l'avarice légendaire de son patron (scène 4).

Dès le retour d'Harpagon, Frosine découvre ses batteries : elle annonce à l'avare que sa proposition d'épouser Mariane est acceptée. Tour à tour, elle calme ses craintes concernant la dot de la jeune fille et la différence d'âge. Mais quand le moment vient de se faire rétribuer, la flatterie n'opère plus : Harpagon, prétextant une affaire urgente, se retire.

ACTE III

Acte de péripéties :
Cléante et Harpagon se disputent Mariane

Harpagon, qui a invité Mariane à dîner, donne des instructions à ses domestiques – en particulier à maître Jacques, le cuisinier-cocher – pour limiter la dépense. Alors que ce dernier proteste, Valère, pour plaire à son maître, s'engage à éviter lui-même le gaspillage (scène 1).

Maître Jacques supporte mal les flatteries qui valent à Valère les faveurs d'Harpagon ; aussi jure-t-il de se venger de l'intendant à la première occasion (scène 2).

Mais Mariane arrive, pleine d'appréhension à l'idée de rencontrer celui qu'on lui destine et le cœur rempli des sentiments que lui inspire un mystérieux jeune homme dont elle est amoureuse. Sa première rencontre avec Harpagon la paralyse d'effroi.

Mais elle a le bonheur de reconnaître en Cléante le jeune homme qui lui a fait la cour (scènes 3 à 6).

Les deux jeunes gens, en usant d'un double langage, échangent alors des aveux sous le nez d'Harpagon qui ne comprend pas leur manège. Cléante pousse l'insolence jusqu'à ôter du doigt de son père un diamant qu'il offre à Mariane (scène 7).

ACTE IV

Acte du nœud de l'action :
rupture entre père et fils, et vol de la cassette

Cléante et Mariane qui voient l'échéance du mariage d'Harpagon approcher, demandent son aide à Frosine. L'intrigante, gagnée à la cause des jeunes gens, élabore un plan qui consiste à faire rencontrer à l'avare une riche veuve. Pour prendre congé, Cléante dépose un baiser sur la main de Mariane (scène 1).

Harpagon qui a surpris ce geste d'intimité comprend qu'on lui cache quelque chose. Pour éprouver son fils, il prétend ne plus vouloir épouser Mariane. Cléante tombe dans le piège et avoue qu'il est amoureux de la jeune fille. Harpagon entre alors dans une colère terrible ; père et fils en sont presque aux mains (scène 3) quand survient maître Jacques. Le cuisinier fait mine de réconcilier les deux rivaux en faisant croire à chacun que son adversaire renonce (scène 4).

Mais la querelle rebondit de plus belle lorsque père et fils comprennent qu'ils ont été joués : Harpagon déshérite, maudit et chasse Cléante (scène 5). Survient alors La Flèche porteur de la précieuse cassette de l'avare (scène 6). Harpagon qui vient de découvrir le vol crie au secours, se désespère et jure de retrouver les coupables (scène 7).

ACTE IV

Acte du dénouement : les amoureux sont comblés
et la cassette est restituée à son propriétaire

Harpagon a convoqué un commissaire de police : il veut que ce représentant de l'ordre fasse arrêter tous les habitants de la ville et des environs (scène 1).

Par esprit de vengeance, maître Jacques, le premier suspect interrogé, accuse Valère d'avoir volé la cassette (scène 2).

Lorsque l'intendant arrive, Harpagon le somme d'avouer son crime. Se croyant découvert, Valère met en avant ses bonnes intentions jusqu'au moment où l'avare comprend qu'une idylle s'est nouée entre Élise et Valère (scène 3).

Harpagon, au comble de la fureur, n'entend ni les supplications de sa fille, ni les appels au calme de Valère : il jure de faire enfermer Élise au couvent et veut faire pendre le coupable (scène 4).

L'arrivée du seigneur Anselme calme un peu les esprits. Cet aristocrate napolitain se révèle être don Thomas d'Albucy, le père de Valère et de Mariane, jadis laissés pour mort lors d'un naufrage. Grâce à sa générosité, les deux mariages (Valère/Élise et Mariane/Cléante) sont conclus et Harpagon, satisfait d'être déchargé par Anselme de tous les frais de la cérémonie, retrouve sa cassette avec grand bonheur (scène 5).

Les personnages

Harpagon

Riche bourgeois veuf, père d'Élise et de Cléante, amoureux de Mariane, il est avare, obsessionnel, intransigeant.

Personnage pivot de la pièce, il actionne l'ensemble du dispositif dramatique. Son avarice et son despotisme sont à la fois les ressorts de l'action et une source comique essentielle. Ces deux traits de caractère alimentent les différentes facettes du personnage : le maître, le père, l'amoureux.

Cléante

Fils d'Harpagon, frère d'Élise ; il aime Mariane d'un amour partagé. Personnage emporté, irrespectueux, passionné, violent.

Sa rivalité avec son père est un motif dramatique de première importance : c'est elle qui règle l'unité d'action. Elle met en évidence un conflit de générations (à père avare, fils prodigue) mais aussi une loi psychologique fondamentale (le fils veut prendre la place du père ; le père veut garder le pouvoir).

Élise

Fille d'Harpagon, sœur de Cléante, fiancée de Valère, Élise est soumise et craintive.

Personnage peu caractérisé, elle répond au type de la « jeune fille ». Seul son amour pour Valère lui permet de sortir d'une réserve qui s'explique à la fois par les mœurs de l'époque et par la terreur que lui inspire son père.

Valère

Faux intendant d'Harpagon, en réalité jeune aristocrate, fils d'Anselme ; il est le fiancé d'Élise. Personnage galant, cynique, intelligent.

Son rôle d'imposteur alimente une des problématiques essentielles de la pièce : celle de la vérité et du mensonge. Sa supériorité intellectuelle va de pair avec sa supériorité sociale et met en évidence, par opposition, la vulgarité des bourgeois.

Mariane

Jeune fille pauvre et déclassée, en réalité fille d'Anselme ; amoureuse de Cléante mais promise à Harpagon. Tempérament docile et passionné.

Elle a une fonction dramatique essentielle puisqu'elle est l'enjeu de la rivalité entre Harpagon et Cléante. Comme Élise, elle correspond au type de la jeune fille amoureuse. Ces deux personnages nous renvoient une image sociale de la condition féminine au temps de Molière.

Frosine

Intrigante, habile, inventive, cupide. Femme chargée de négocier le mariage d'Harpagon avec Mariane.

Personnage secondaire, Frosine répond au type traditionnel de l'entremetteuse. Au cours de la pièce, sa fonction reste la même mais elle change de clan. Pour servir ses intérêts, elle est tour à tour l'auxiliaire d'Harpagon, puis de Cléante. Sa présence alimente le thème de la flatterie.

Maître Jacques

Cuisinier et cocher d'Harpagon. Homme naïf, franc, mais rancunier.

Maître Jacques est une variante du valet de comédie. Sa relation avec Harpagon alimente la tradition théâtrale du couple valet-maître. Par ses attitudes et par sa conduite, il nourrit dans la pièce le comique de farce. Il commande la dernière péripétie de la pièce puisque c'est lui qui accuse Valère d'avoir volé la cassette d'Harpagon.

La Flèche

Valet de Cléante, malin, loyal et pratique.

Il correspond au type du valet de comédie et offre avec Cléante une version du couple valet-maître. Outre sa fonction comique, La Flèche est l'agent direct du dénouement puisque c'est lui qui vole la cassette d'Harpagon.

Anselme

Seigneur napolitain, pseudonyme de dom Thomas d'Alburcy, père de Valère et de Mariane ; personnage noble et généreux.

En tant que figure du père, Anselme est l'antithèse d'Harpagon. Il est un des éléments dramatiques de l'action puisqu'il doit épouser Élise. Il est également un des agents du dénouement : ses révélations alimentent le coup de théâtre de l'acte V.

Dame Claude, Brindavoine, La Merluche

Domestiques d'Harpagon, soumis et simples.

Personnages comiques et types sociaux. Ils révèlent les effets de l'avarice d'Harpagon sur l'intendance.

Le Commissaire (et son clerc)

Chargé de l'enquête sur le vol de la cassette ; méthodique et manipulateur. Personnage satirique à travers lequel Molière brosse un portrait de la justice.

maître Simon

Courtier chargé de mettre en relation prêteur et emprunteur.

Personnage fonctionnel qui actionne une des scènes les plus dramatiques de la pièce (II, 2).

Résumés et commentaires

Les références renvoient
à l'édition des Classiques Larousse.

ACTE I

COMMENTAIRE GÉNÉRAL

L'action se déroule dans la maison d'Harpagon, un riche bourgeois, veuf et père de deux enfants en âge de se marier. Élise, sa fille, vient de se fiancer en secret avec Valère, un gentilhomme qui, après avoir sauvé la vie de la jeune fille lors d'un naufrage, s'est introduit dans la maison d'Harpagon en qualité d'intendant (scène 1).

Cléante, le fils d'Harpagon, a rencontré Mariane, une jeune fille pauvre pour laquelle il est prêt à toutes les folies. Pestant contre l'avarice et le despotisme de son père qui l'empêchent d'apporter de l'aide à sa bien-aimée, le jeune homme envisage même de s'enfuir pour tenter sa chance à l'étranger (scène 2).

Harpagon, quant à lui, ne se préoccupe que de son argent : il est obsédé par la cassette de dix mille écus qu'il a cachée dans son jardin. Craignant à tout instant d'être volé, il soupçonne tout le monde, à commencer par La Flèche, le valet de Cléante, à qui il fait subir un interrogatoire et une fouille en bonne et due forme (scène 3).

Ses enfants n'échappent pas à sa suspicion. Mais une fois que ses doutes sont calmés, il annonce une série de projets matrimoniaux : il a l'intention d'épouser Mariane, tandis qu'il destine à sa fille le vieux seigneur Anselme et à Cléante une veuve de sa connaissance (scène 4).

Élise s'oppose farouchement à ce projet, mais Harpagon ne peut renoncer à un gendre qui accepte de prendre sa fille sans dot. Valère, appelé à la rescousse, fait mine de donner raison à l'avare, se réservant la possibilité de fuir avec sa bien-aimée en cas de besoin (scène 5).

ACTE I, SCÈNE 1

RÉSUMÉ

Valère s'étonne de trouver sa fiancée Élise d'humeur mélancolique le jour même de leurs fiançailles. Mais Élise a quelques sujets d'inquiétude : elle appréhende la colère de son père face à un engagement clandestin et elle craint les commentaires malveillants des gens. Connaissant l'inconstance des hommes, elle redoute également une trahison de Valère, en dépit des garanties que ce dernier lui donne. Ces inquiétudes, toutefois, ne remettent en question ni l'amour qu'elle éprouve pour le jeune homme, ni la reconnaissance qu'elle lui doit pour l'avoir sauvée d'un naufrage. En outre, elle admire le courage de son amoureux qui n'a pas hésité, pour rester auprès d'elle, à s'introduire comme domestique dans la maison de son père où il risque à tout instant d'être découvert. Cependant, la jeune fille est terrorisée à l'idée que le subterfuge puisse être découvert. Sur ce point, Valère rassure sa bien-aimée : l'avarice et la dureté d'Harpagon justifient la dissimulation et l'imposture. En outre, le jeune homme est certain de pouvoir dévoiler sa véritable identité aussitôt qu'il aura retrouvé ses parents car il ne doute pas d'obtenir leur appui. Élise souhaite qu'en attendant, Valère se mette au mieux avec son prétendu maître. Le faux intendant expose alors sa stratégie : la flatterie est un excellent moyen pour gagner la confiance d'Harpagon. Pourtant, aux yeux d'Élise, il est également indispensable que Valère se concilie Cléante : au cas où leur secret viendrait à être connu, les deux amoureux auraient ainsi un allié dans la maison. En accord avec cette tactique, Valère recommande à Élise de s'assurer, de son côté, de la fidélité de son frère.

COMMENTAIRE

Cette première scène obéit aux lois d'une scène d'exposition : amorcer l'action, présenter les personnages, introduire les thèmes essentiels.

L'amorce de l'action
Une action romanesque

L'action se noue autour des fiançailles clandestines de Valère et d'Élise. L'engagement des deux jeunes gens, fondé sur un amour réciproque, s'inscrit sur un fond dramatique : Valère a sauvé Élise des flots lors d'un naufrage et les deux jeunes gens sont tombés amoureux l'un de l'autre. Mais l'aventure s'arrêterait là si un obstacle majeur n'intervenait dans ce tableau idyllique : cette belle histoire d'amour ne peut s'épanouir que sur fond de mensonge. En effet, la jeune fille, qui semble terrorisée par son père, n'a pas osé présenter son prétendant. Valère, quant à lui, n'a rien trouvé de mieux, pour entrer en grâce auprès de son futur beau-père, que de s'introduire dans la maison de celui-ci sous la livrée d'un domestique.

L'art du suspense

L'action est lancée à partir d'une question qui entretient le suspense : comment les deux amoureux vont-ils se sortir de cette situation ?

Sur cette interrogation essentielle se greffent d'autres incertitudes : le spectateur se demande qui est Valère et où sont ses parents. Les circonstances dans lesquelles il a perdu leur trace paraissent très mystérieuses. Quant à Harpagon, on voudrait bien en savoir davantage sur lui. Et déjà, à partir du portrait peu flatteur qu'en ont dressé les deux amoureux, on se demande ce qu'il adviendra s'il découvre la supercherie. Enfin, dernière question : Élise trouvera-t-elle chez son frère un appui ?

Dès la première scène donc, Molière infiltre dans l'action l'incertitude et l'attente qui sont les ressorts du suspense, et promet au spectateur toutes sortes de péripéties.

La présentation des personnages
Présents et absents

Pour introduire ses personnages, Molière réalise un montage : en donnant la parole à Élise et Valère, il permet au spectateur un premier contact direct avec les jeunes amoureux. Dans le même temps, il confie à ces deux personnages le soin de présenter Harpagon et Cléante. En effet, c'est à travers le dialogue des jeunes gens que le spectateur peut se faire une idée de l'avare et de son fils. Ce procédé a une valeur dramatique : il permet de multiplier les éclairages sur un personnage.

La famille : domination des adultes

Les personnages sont d'abord présentés à travers leurs liens familiaux : Élise vit dans un milieu essentiellement masculin. Si elle fait souvent référence à son père et à son frère, à aucun moment elle ne parle de sa mère. Dans son discours, la famille est présentée sous un jour négatif : « l'emportement d'un père, les reproches d'une famille » (l. 16-17). Valère oppose, à cette image violente, une version beaucoup plus conciliante des parents : « [...] nous n'aurons pas beaucoup de peine à nous les rendre favorables » (l. 78-79). Cependant, sa famille est absente : « [...] si je puis, comme je l'espère, retrouver mes parents » (l. 77-78). À travers cette double image, les enfants (Élise et Valère) apparaissent comme des victimes du monde adulte : le soutien qu'ils pourraient espérer de leur famille respective leur est refusé.

La société : une autorité morale

Évoquée à travers des mots qui soulignent sa cohésion (« tout le monde », l. 46 ; les « autres », l. 66) ; « on », l. 66), la société contemporaine de Molière semble régie par des règles morales très strictes : l'expression « les censures du monde » (l. 18-19) insiste sur la sévérité d'un groupe social dont on a tout à craindre lorsqu'on est, comme Élise, jeune et amoureuse. Pourtant, l'identité réelle de cette autorité reste floue et l'on se demande si, à travers ces mots et expressions, Élise n'évoque pas tout simplement son père comme si celui-ci incarnait à ses yeux le monde adulte et ses interdits.

Les individus : caractères et relations

Élise : son vocabulaire – « mélancolique », « soupirer », « inquiétude », « chagrin », « appréhension » – et les formes négatives – « je ne suis pas sûre » (l. 66), « je ne sais » (l. 117) – renvoient l'image d'une jeune fille vulnérable que seul son amour a pu rendre hardie. C'est au nom de cet amour qu'elle transgresse la loi paternelle en introduisant son amoureux dans la maison.

Valère est l'opposé d'Élise. Sa vue du monde est réaliste : il obéit aux circonstances et non aux règles de la morale. Ainsi, il écarte les scrupules d'Élise en évoquant les insuffisances d'Harpagon : « [...] votre père lui-même ne prend que trop de soin de vous justifier à tout le monde » (l. 71-72). Le cynisme qu'il exprime à travers sa défense de l'hypocrisie (l. 85-104) renvoie de lui une image terrifiante. Toutefois, cet aspect sinistre est contrebalancé par le côté romantique de Valère : cet effronté est aussi un jeune homme courageux qui a sauvé Élise d'un naufrage, un amoureux modèle qui n'hésite pas, au nom de ses sentiments, à courir un très grand risque en changeant d'identité.

Harpagon : il est présenté sous un jour négatif. La terreur qu'il inspire à sa fille renvoie l'image d'un père tout-puissant qui règne sans partage sur ses enfants. Les termes sévères dont Valère use à son égard : « l'excès de son avarice et la manière austère dont il vit avec ses enfants » (l. 73-74) renforcent ce portrait encore flou mais peu flatteur.

Cléante : à travers la conversation des deux amoureux, Molière révèle peu de choses sur ce personnage : nous apprenons que le père et le fils sont en mauvais termes : « l'esprit du père et celui du fils sont des choses si opposées » (l. 109-110), mais que le frère et la sœur sont étroitement liés : « servez-vous de l'amitié qui est entre vous deux » (l. 112-113). Cette opposition suggère à l'avance des conflits et des alliances à valeur dramatique.

Les thèmes essentiels
L'amour
Dans cette scène, Valère donne une image très **convention-nelle** de l'amour. Exprimée en termes précieux, sa passion respecte les usages en vigueur à l'époque et reproduit les clichés de l'amour éternel (l. 25-26) et de la séduction (l. 68-70). Or, cette codification extrême du discours amoureux déper-sonnalise le sentiment. Élise se montre sensible à cette neu-tralisation de l'individu par le rituel galant : construite sur des sujets indéfinis (« chacun », « tous »), sa remarque : « Chacun tient les mêmes discours. Tous les hommes sont semblables par les paroles » (l. 28) met en avant la banalisation du senti-ment amoureux par le langage. Mais sa réflexion sur l'incons-tance masculine procède de la même approche généralisante et traduit un préjugé plus qu'une expérience : « cette froideur criminelle dont ceux de votre sexe payent le plus souvent les témoignages trop ardents d'une innocente amour » (l. 18-21). Chez les deux jeunes gens, l'amour est saisi à travers les lieux communs propres à chacun des deux sexes. Dans ces condi-

tions, l'un des enjeux de la pièce sera peut-être une mise à l'épreuve des jeunes fiancés sur le terrain de l'amour.

Le mensonge

La flatterie, version mondaine du mensonge, est pratiquée avec cynisme par Valère qui, dans l'avant-dernière réplique (l. 85-104), en souligne la nécessité et les avantages. À travers des généralités à valeur morale, il en propose un mode d'emploi, comme un homme passé maître dans l'art de tromper son prochain : « se parer à leurs yeux de leurs inclinations », « donner dans leurs maximes, encenser leurs défauts et applaudir à ce qu'ils font » (l. 92-94). Sa conclusion « ce n'est pas la faute de ceux qui flattent mais de ceux qui veulent être flattés » (l. 103-104), témoigne d'une grande finesse psychologique. Cependant, sur le plan moral, elle paraît extrêmement dangereuse car elle autorise tous les excès.

ACTE I, SCÈNE 2

RÉSUMÉ

Après avoir découragé par avance toute objection mora-
lisante de la part de sa sœur, Cléante annonce qu'il est
amoureux d'une jeune fille prénommée Mariane. Enhardi
par les aveux indirects d'Élise sur ses propres amours, il
explique que cette demoiselle, pleine de qualités, s'occupe
avec dévouement d'une mère malade et vit dans des conditions difficiles. Mais il enrage de ne pouvoir apporter à
l'élue de son cœur l'aide financière qui la soulagerait. Toutefois, il précise que l'avarice et la sévérité d'Harpagon
n'auront pas raison de ses sentiments : très épris, il est
résolu à quitter la ville si son père s'oppose à son amour
mais, avant d'en arriver à ces extrémités, il voudrait qu'Élise
sonde adroitement Harpagon.

COMMENTAIRE

Cléante et Mariane :
un nouveau couple d'amoureux

Dans cette scène, Molière continue de planter le décor de
l'intrigue. L'unité d'action qui semblait s'organiser autour du
couple Valère/Élise est ici menacée par l'idylle Cléante/Mariane.
Parallèlement, le thème de l'amour, introduit dans la scène 1,
est fortifié et s'impose ainsi comme un des thèmes principaux
de la pièce. Cependant, il fait l'objet d'une approche légèrement
différente : à la galanterie confiante de Valère dans la scène 1
correspond ici la passion impérieuse et fiévreuse de Cléante :
« mon amour ne veut rien écouter » (l. 24). Face à ces deux
hommes très décidés, les personnages féminins restent plus
conventionnels : le vocabulaire qu'utilise Cléante pour brosser
le portrait de Mariane renvoie au type traditionnel de la jeune
fille (« aimable », l. 46,50 ; « douceur », « bonté », »honnêteté »,
l. 55-56), tandis que la mention du dévouement filial (l. 51-52)
– associée au thème pauvreté/vertu – complète une image tout
à fait convenue.

L'absence, ressort dramatique de l'action

Par son absence, Mariane actionne le dispositif dramatique de cette scène. Le verbe « voir » qui revient sans cesse dans le discours de Cléante (« tous ceux qui la voient », l. 45 ; « dès le moment que je la vis », l. 47 ; « je voudrais que vous l'eussiez vue », l. 57) souligne par antithèse l'éloignement de la bien-aimée. En retardant l'arrivée de ce personnage, Molière stimule l'attente du spectateur et active le suspense. Le même procédé est utilisé autour du personnage de l'avare, objet de tous les commentaires depuis le début de la pièce. À l'inverse de Mariane, c'est sur un mode négatif qu'Harpagon, précédé d'une réputation détestable, nourrit l'imaginaire du spectateur. Du coup, l'arrivée de ce personnage, annoncée dans la dernière réplique de la scène, prend une résonance exceptionnelle.

Le conflit entre l'amour et la raison

Complétant le portrait amorcé dans la scène 1, Cléante confirme la tyrannie et l'avarice d'Harpagon, et souligne une incompatibilité majeure entre l'amour et la raison.

La longue réplique du début de la scène (l. 9-25) matérialise ce conflit sur le plan syntaxique : à la première phrase : « Oui, j'aime » s'oppose la seconde phrase qui, à partir du verbe principal « je sais » (l. 10), enchaîne huit propositions complétives dans lesquelles Cléante, sur un mode parodique, dresse le procès de la jeunesse et de l'amour. Le vocabulaire traduit également un désaccord fondamental entre la jeunesse (« folle ardeur », « aveuglement », « passion », « emportement », « jeunesse », « précipices fâcheux ») et le monde adulte (« lumières », « prudence »).

La désobéissance d'Élise – forme craintive de la rébellion – et l'exaspération de Cléante – forme ouverte – traduisent la même volonté de s'affranchir de la tutelle paternelle. Mais le jeune homme est plus radical que sa sœur car le terrorisme d'Harpagon l'affecte non seulement sur le plan psychologique (« je dépends », « me soumet », « ses volontés », « maîtres de nos vœux », « enjoint ») mais aussi sur le plan financier : Cléante en effet est criblé de dettes (l. 81, 89).

La relation frère/sœur

Cette scène met en lumière les liens qui attachent le frère et la sœur : « l'amitié » qui les lie (scène 1, l. 112) apparaît de différentes manières : Cléante affiche sa confiance en faisant d'Élise sa confidente. Élise montre son affection par la qualité de son écoute : elle s'exprime peu tandis que Cléante monopolise la parole. La modération de la jeune fille est pour son frère un sujet de crainte : dans la première partie de la scène, le « je » (Cléante) s'oppose au « vous » (Élise) : « je vous prie de ne point me faire de remontrances » (l. 24-25) ; « je vous conjure encore une fois de ne me point apporter de raisons pour m'en dissuader » (l. 28-30) ; « j'appréhende votre sagesse » (l. 35-36). Mais la semi-confidence d'Élise : « Hélas ! mon frère, ne parlons pas de ma sagesse » (l. 35-36) réunit le frère et la sœur sous la même bannière : celle de l'amour. Compagnons d'infortune, les deux orphelins, poussés par la même nécessité, s'associent dans un grand projet de libération dont Cléante est l'instigateur : à la fin de la scène, le pronom « nous », associé au futur – « nous le quitterons » (l. 92-93), « nous joindrons » (l. 99) – traduit la solidarité du frère et de la sœur face à un avenir commun.

ACTE I, SCÈNE 3

RÉSUMÉ

Hors de lui, Harpagon fait irruption : il exige que La Flèche sorte de la maison. Mais le valet ne l'entend pas de cette oreille : il résiste, demande des explications, multiplie les allusions à l'avarice d'Harpagon. Sur le point de s'exécuter cependant, il est retenu par son maître qui le soupçonne d'emporter quelque chose. L'avare inspecte tour à tour les mains, les chausses et les poches de son valet sans rien y trouver. Il finit par l'envoyer au diable.

COMMENTAIRE

Harpagon en chair et en os

Molière ayant mis le spectateur en attente depuis le début de la pièce, Harpagon fait une entrée attendue. Immédiatement, le personnage se montre à la hauteur de sa réputation.

Le commandement qui intime à La Flèche l'ordre de sortir (« hors d'ici », l. 1 ; « sors vite », l. 10) ; « sors d'ici », l. 43) traduit en premier lieu la fureur d'un maître exaspéré par son valet. Mais cette colère qui apparaît également à travers une ponctuation à forte valeur affective (points d'exclamation, points d'interrogation) souligne aussi le pouvoir du maître sur son domestique. L'impératif (l. 1-15) et la répétition du verbe « vouloir » (l. 12, 18, 27, 69, 87) attestent chez Harpagon la conscience aiguë de sa souveraineté. Cette domination sociale va de pair avec l'instinct de propriété nettement revendiqué (« chez moi, l. 2 ; ma maison, l. 16) et se rattache à l'avarice du personnage : Harpagon est un possédant.

Le thème de l'avarice

L'avarice qui ronge Harpagon frappe par son caractère maladif : elle est obsessionnelle et provoque chez lui des crises de paranoïa aiguë : Harpagon se sent observé, espionné, assiégé (l. 15-22) ; il est habité par la peur d'être dépossédé : le thème du vol revient sans cesse dans son discours (« voler, l. 22, 66 ; « dérobe », l. 59 ; « emportes », l. 45 ; « pris », l. 105).

33

Cette idée fixe, outre les effets comiques dont elle s'accompagne, présente également un fort potentiel dramatique : elle contient, en germe, des péripéties ultérieures.

La première scène comique de la pièce

Par le ton, cette scène de farce contraste avec les deux scènes précédentes, plus graves. Le rire s'y déploie, habilement géré par Molière qui utilise ici toute la panoplie du comique :

– **le comique de situation** : la résistance de La Flèche aux ordres de son maître durant la première partie de la scène jusqu'à sa capitulation finale (l. 1-44), laisse place à un retournement inattendu : Harpagon retient son valet au moment même où celui-ci est prêt à sortir ;

– **le comique de gestes** : les jeux de scène sont empruntés au répertoire de la farce. L'esquisse d'un soufflet (l. 42-43), l'inspection des mains de La Flèche, la fouille des chausses puis des poches du valet donnent lieu à des attitudes et des mouvements très expressifs qui s'inspirent de la technique du mime ;

– **le comique de caractère** : le mélange de naïveté et de perversion qui caractérise Harpagon dans cette scène va de pair avec la hardiesse et la malice du valet ;

– **le comique de mots** : l'insulte (« maître juré filou », « vrai gibier de potence », l. 2-3 ; « pendard », l. 9 ; « ce chien de boiteux-là », l. 113), les apartés, la rupture de construction (« tu m'as fait que je veux que tu sortes », l. 12), la tautologie (« je crois ce que je crois » (l. 87), l'absurde (l'épisode des mains), tels sont les procédés qu'utilise Molière dans cette scène.

Harpagon/La Flèche : la relation maître-valet

Cette relation s'inscrit dans une tradition chère à Molière (*cf.* Scapin et Géronte dans *Les Fourberies de Scapin* ; Toinette et Argan dans *Le Malade imaginaire*). Elle a d'abord une **valeur documentaire** : la France de Louis XIV est fondée sur les privilèges attachés soit à la noblesse, soit à l'argent. Harpagon est un bourgeois enrichi qui, par sa position sociale, se doit d'avoir des domestiques. Elle a ensuite une **valeur psychologique** : elle met face à face deux hommes attachés par la nécessité : le maître veut être servi et le valet doit gagner sa vie. Ils sont donc obligés de se supporter. Mais leur relation est plus subtile encore : La Flèche ose s'opposer à son maître et Harpagon tolère l'insolence de son valet. Le jeu verbal est caractéristique de ce rapport : la rapidité des répliques, l'interrogation directe, les commentaires sententieux (l. 70-71, 97) et les trouvailles (l. 89) de La Flèche témoignent, chez les deux personnages, non seulement d'une éblouissante facilité de parole mais aussi d'un mode de fonctionnement qui repose sur une bonne connaissance mutuelle : La Flèche est un « coquin » (l. 34) et un « raisonneur » (l. 41), Harpagon « un maudit vieillard [...] qui a le diable au corps » (l. 5-6).

ACTE I, SCÈNE 4

RÉSUMÉ

Harpagon, tout au souci des dix mille écus en or qu'il vient d'enterrer dans son jardin, analyse tout haut les difficultés à garder de l'argent chez soi. Soudain, Cléante et Élise arrivent. Harpagon tente de savoir si ses enfants ont pu entendre ses paroles. Mais bien vite, l'enquête tourne à l'acte d'accusation : l'avare reproche à son fils ses dépenses vestimentaires tandis que Cléante justifie sa toilette par les gains qu'il fait au jeu. Mais Harpagon coupe court : une certaine Mariane vient d'arriver dans le voisinage. Il veut connaître l'avis de ses enfants sur cette jeune personne. Plein d'espoir, Cléante lui en dit le plus grand bien jusqu'à ce que son père lui dévoile le détail de ses intentions : il veut épouser la jeune fille tandis qu'il a décidé de marier son fils à une une veuve et sa fille au seigneur Anselme, « un homme mûr, prudent et sage ».

COMMENTAIRE

Un père et ses enfants

On assiste dans cette scène à un retournement de tendance dans la fonction des personnages.

Dans la première partie de la scène (l. 1-95), Élise joue un rôle de régulateur. Elle se veut apaisante (l. 27, 57) et tente de calmer le jeu entre son père et son frère qui s'affrontent, non seulement sur des questions d'argent, mais également sur leur conception de la richesse et de la vie : Cléante est un consommateur et un jouisseur (« somptueux équipage », l. 68 ; « vous donnez furieusement dans le marquis », l. 74 ; « ces rubans », « une demi-douzaine d'aiguillettes, « perruques », l. 86-90), Harpagon un épargnant (« vingt pistoles rapportent par années [...] », l. 93-94).

Dans la deuxième partie (l. 96-164), la tonalité change : Cléante et Harpagon continuent de monopoliser la parole, mais le quiproquo désamorce l'agressivité ambiante : Cléante, élément perturbateur, est neutralisé par la perspective du bonheur. Dans la troisième partie (l. 165-206), il abandonne son rôle à une Élise transformée qui, sous la menace d'un mariage forcé, devient leader et affirme une opposition ouverte (l. 189-195).

La dramatisation de l'action

Dans cette scène, les ressorts dramatiques sont axés autour de deux thèmes : l'argent et le mariage. Les dix mille écus enterrés dans le jardin par l'avare constituent une source précieuse de péripéties possibles, tandis que les trois mariages projetés génèrent déjà un premier conflit entre le père et sa fille. L'amour qui occupait les deux premières scènes cède la place au mariage, le sentiment spontané de la jeunesse est menacé par les froids calculs des adultes ; enfin, la liberté se voit soumise à l'autorité. Molière, moraliste, pose ici les jalons d'une problématique fondamentale : celle de **l'amour et du mariage**.

Harpagon : un redoutable manipulateur

Harpagon obéit à une cohérence qui lui est propre. Comme tous les maniaques, il construit un système logique infaillible : les marques du raisonnement jalonnent sa première réplique autour du problème du vol : « certes, et, car, cependant ». Cette logique est si impérative chez l'avare qu'elle modifie totalement sa perception de la réalité ; ainsi, dans la première partie de la scène, impose-t-il à ses enfants sa version des faits : le « non » de Cléante (l. 25) est balayé par un double « oui » (« si fait, si fait », l. 26). Cependant, cette rigidité se double de malice : Harpagon utilise l'artifice pour imposer son point de vue. Dans la première partie de la scène, il manipule la vérité sur le mode du subjonctif et du conditionnel pour faire croire à ses enfants qu'il n'a pas d'argent (« Plût à Dieu que je les eusse ; serait, aurais, m'accomoderait, plaindrais », l. 40-49). Dans la deuxième partie, créant un quiproquo sans le savoir, il conduit un interrogatoire habile dans lequel il induit les réponses qu'il souhaite entendre pour conduire ses interlocuteurs à sa propre conclusion : « je suis résolu de l'épouser » (l. 155).

Toute l'adresse de Molière consiste à exploiter sur le mode comique ces entorses au bon sens.

ACTE I, SCÈNE 5

RÉSUMÉ

Valère, sollicité pour arbitrer le différend entre le père et la fille, donne raison à Harpagon sans savoir de quoi il s'agit. Mais lorsqu'il apprend que celui-ci a décidé de marier Élise au vieil Anselme, il tente de jouer les conciliateurs en évoquant tour à tour les sentiments de la jeune fille, la prudence à laquelle incite l'institution du mariage, et enfin l'amour paternel. À ces objections, Harpagon n'oppose qu'une réponse : le prétendant n'exige pas de dot. Durant une courte absence de son père, Élise, témoin muet de cet échange, reproche vivement son attitude à Valère qui lui explique sa stratégie : il faut faire semblant d'accepter ce mariage, inventer une maladie au dernier moment pour gagner du temps et, en dernière extrémité, fuir. Au retour d'Harpagon, Valère simule un discours moralisateur plein de sévérité à l'égard d'Élise. Enchanté d'un tel zèle, Harpagon délègue à son domestique le soin de faire la morale à sa fille.

COMMENTAIRE

Mariage d'intérêt ou mariage d'amour ?

Le mariage d'intérêt. Aux yeux de l'avare, les qualités d'Anselme sont d'abord d'ordre matériel : les termes à travers lesquels Harpagon évoque son futur gendre montrent que le mariage d'Élise est envisagé avant tout comme une bonne opération financière : « un homme [...] riche » (l. 8), « un parti considérable » (l. 19), « un gentilhomme [...] auquel il ne reste aucun enfant de son premier mariage » (l. 19-21). Les mots et expressions « avantage » (l. 28), « sans dot » (l. 29, 43, 50, 60), « épargne considérable » (l. 35), accentuent cet aspect. Mais le mariage d'Élise présente également un avantage social : Harpagon trahit son statut de bourgeois enrichi non seulement par son obsession de l'argent mais aussi par l'attrait qu'exercent sur lui les origines aristocratiques du seigneur Anselme, « un gentilhomme qui est noble » (l. 19). Dans la France de

Louis XIV où est consommé le divorce entre la noblesse et la richesse, ce prétendant est incontestablement une perle rare.

Le mariage d'amour. Il est défendu par Valère, à l'aide d'arguments empruntés au bon sens : nécessité d'une compatibilité ente les deux époux (l. 25-26), gravité d'un tel engagement (l. 36-42), importance de l'amour dans le mariage (l. 45-47), danger de l'inégalité des âges et de la différence des personnalités (l. 47-49), délicatesse paternelle (l. 52-59). Mise en regard du raisonnement partial d'Harpagon, cette argumentation pleine de sagesse donne à Valère la stature de l'honnête homme du xviiᵉ siècle.

L'art du double langage : procédé comique

Dans cette scène, Molière exploite l'une des sources essentielles de son comique : l'art du double langage que pratiquent les deux protagonistes masculins. Chez Harpagon, ce talent se manifeste à travers la règle de « deux poids deux mesures » qu'il applique au mariage : pour Élise, un mari vieux mais fortuné ; pour lui-même, une demoiselle pauvre mais jeune (Mariane est ainsi présentée dans la scène précédente). À l'inverse, chez Valère, l'art du double langage prend une tournure plus subtile : il s'exprime dans l'argumentation au moyen du conditionnel qui permet à l'intendant de donner fictivement la parole aux détracteurs supposés d'Harpagon, à commencer par sa propre fille. Mais surtout, il se traduit au moyen de l'ironie, réponse intelligente – mais inutile – à la rengaine butée du maître : « sans dot » (l. 29, 43, 50, 60, 119-126).

La technique de la flatterie

Il faut « biaiser », « tourner », « faire semblant », ne pas « heurter de front » : telle est la technique mise au point par Valère dans ses relations avec Harpagon. Dans les faits, cela signifie donner systématiquement raison à l'avare (l. 7-8, 16-17, 44) et manier le langage avec infiniment de précautions. Ainsi le faux intendant présente-t-il ses objections en douceur, sur le mode du « oui... mais » (l. 15-17, 23-26). À cette syntaxe prudente, s'ajoutent l'utilisation de formules impersonnelles (l. 24, 34, 37, 39, 45, 51), le recours au pronom personnel indéfini « on » (l. 38, 47, 51), l'utilisation ponctuelle de la double négation : « ce n'est pas qu'il n'y ait » (l. 52-53) qui sont autant de procédés d'atténuation de la pensée.

ACTE II

Cléante a besoin de quinze mille francs : son valet a trouvé un prêteur qui accepte d'avancer la somme moyennant un taux d'usure exorbitant et des conditions extravagantes (scène 1).

Quand arrive maître Simon qui est chargé de la transaction, le prêteur et l'emprunteur se reconnaissent : il s'agit d'Harpagon et de Cléante. Une scène violente oppose alors le père et le fils (scène 2).

Mais survient Frosine, une intrigante qui se flatte auprès de La Flèche d'obtenir d'Harpagon de bons subsides en échange de ses services. Rendu hardi par l'absence de son maître qui s'est éclipsé quelques instants, le valet met en garde Frosine contre l'avarice légendaire de son patron (scène 4).

Dès le retour d'Harpagon, Frosine découvre ses batteries : elle annonce à l'avare que sa proposition d'épouser Mariane est acceptée. Tour à tour, elle calme ses craintes concernant la dot de la jeune fille et la différence d'âge. Mais quand le moment vient de se faire rétribuer, la flatterie n'opère plus : Harpagon, prétextant une affaire urgente, se retire.

ACTE II, SCÈNE 1

RÉSUMÉ

Cléante retrouve son valet La Flèche : encore sous le choc de la révélation que lui a faite Harpagon, il se montre très agité. À cette inquiétude d'ordre sentimental, s'ajoute l'impatience de connaître les résultats d'un emprunt qu'il a lancé par l'intermédiaire d'un courtier nommé maître Simon. Sur cette question, La Flèche annonce que les quinze mille francs attendus seront avancés par un mystérieux prêteur selon certaines conditions : taux de vingt-cinq pour cent et obligation pour l'emprunteur d'accepter douze mille livres en argent et trois cents livres sous forme de meubles et objets usagés. Pris à la gorge, Cléante ne peut qu'accepter ces exigences draconiennes tandis que son valet, sur un ton sentencieux, le met en garde contre les dangers de l'endettement.

COMMENTAIRE

L'usure et les usuriers

Dans ce début d'acte II, l'exposition est terminée. Le spectateur connaît désormais les enjeux de la pièce qui apparaissent à travers les deux thèmes dominants : **l'amour et l'argent**. Toutefois, une péripétie vient se greffer sur ces données initiales de l'intrigue : Cléante fait des dettes. Cette information présente un double intérêt :

– un intérêt **dramatique** : entre les mains d'un usurier de la pire espèce (« le traître, le bourreau qu'il est », l. 122 ; « le scélérat », l. 129), Cléante est sur une voie dangereuse. À plus court terme, son rendez-vous avec son mystérieux prêteur s'annonce comme un des moments forts de la pièce (l. 40-42) ;

– un intérêt **documentaire** : à travers les difficultés financières de Cléante, Molière peint le monde extravagant et sans pitié de l'usure.

Sur le plan technique, les problèmes financiers de Cléante permettent également de compléter le portrait du jeune homme :

ils accréditent les accusations portées par Harpagon dans la scène 4 de l'acte I (Cléante est dépensier, superficiel) ; ils révèlent le cynisme du personnage (« et on s'étonne, après cela, que les fils souhaitent qu'ils [les pères] meurent », l. 136-137) ; enfin ils mettent en évidence la parenté du père et du fils sur les questions d'argent.

Folie du maître, sagesse du valet

Dans cette scène, Molière exploite les sources du comique de situation et de caractère habilement mêlés. La Flèche, investi d'une mission essentielle pour son maître, détient ici le pouvoir, tandis que Cléante se retrouve en position de demandeur : les nombreuses questions dont le maître accable le valet montrent un renversement dans la distribution des rôles : devenu le substitut de Cléante dans la transaction avec maître Simon, La Flèche est en position de force. Ses répliques « c'est ce que j'ai dit » (l. 65) et « c'est la réponse que j'ai faite » (l. 80) montrent qu'il a pris à cœur son rôle d'intermédiaire. Mais la manière dont il souffle le chaud et le froid sur son maître en distillant savamment bonnes et mauvaises nouvelles – ajoutées aux leçons de morale dont il ponctue son discours (l. 23-26, 130-133) – lui donnent le beau rôle. Sur le plan technique, l'opposition folie du maître/sagesse du valet donne à la scène sa saveur comique.

ACTE II, SCÈNES 2, 3, 4

RÉSUMÉ

Cléante, accompagné de La Flèche, surprend Harpagon et maître Simon en grande conversation. Le courtier, tout en se défendant d'avoir révélé l'identité de son client, présente le prêteur à l'emprunteur. Confondus, le père et le fils s'accusent mutuellement de se déshonorer par des pratiques indignes **(scène 2)**. Cléante s'étant retiré, apparaît Frosine. Harpagon lui demande de patienter **(scène 3)**. Dans l'attente, l'intrigante confie à La Flèche qu'elle est en affaire avec son maître. Le valet la met alors en garde contre la pingrerie d'Harpagon. Mais Frosine se flatte d'obtenir de bons subsides en échange des services qu'elle pourra rendre à l'avare **(scène 4)**.

COMMENTAIRE

Scène 2 : le quiproquo

Ressort dramatique et comique de la farce et de la comédie, le quiproquo obéit à un mécanisme en **deux temps** : une erreur d'interprétation suivie d'une démystification. Durant la première phase, le spectateur, complice de l'auteur, détient la vérité : tout son plaisir vient de la situation de supériorité où le place ce savoir.

Dans cette scène, la première phase du quiproquo présente un prêteur et un emprunteur sans identité (Cléante et Harpagon, incognito) : l'individu s'efface devant la fonction. La seconde phase s'articule autour d'une reconnaissance réciproque qui replace chacun des deux protagonistes dans son rôle d'origine : le père et le fils refont surface. Relayé par un système de répliques symétriques, l'effet de surprise qui accompagne la reconnaissance mutuelle nourissent le comique de la scène.

Une scène fondée sur la symétrie

La symétrie apparaît sur plusieurs plans dans la scène 2 :
– Sur le plan **psychologique**, Cléante confirme sa parenté avec

Harpagon : le père et le fils ont en commun l'amour immodéré de l'argent. L'avarice de l'un et la prodigalité de l'autre ne sont que les versions opposées d'une même tendance. On note également chez ces deux personnages un cynisme de même facture : tandis que le fils prodigue anticipe la mort de son père pour faire valoir son héritage auprès de maître Simon (l. 14-16), l'usurier prétend faire œuvre de « charité » (l. 17).
– Sur le plan de la **technique dramatique**, la symétrie génère le comique : l'échange entre le père et le fils, de huit répliques calquées deux par deux sur le même modèle syntaxique (l. 35-56), met en valeur – sur un mode parodique – la ressemblance psychologique de ces deux personnages.
– Sur le plan **linguistique**, la symétrie des caractères est fortifiée par l'unité du lexique : Harpagon et Cléante utilisent le même vocabulaire de facture morale (« coupables », « honteuses », « condamnables », « criminelles », « honte », « débauches », « honteuses », « déshonorer »).

Technique du portrait : caricature et esquisse

Dans la scène 4, La Flèche complète sur un mode réaliste le portrait déjà bien avancé de l'avare. La **caricature** à laquelle se livre le valet repose sur un comique de mots fondé sur divers procédés : le superlatif (l. 25-27) et le comparatif (l. 32-33, 44-45) à valeur d'hyperbole ; l'opposition (l. 29-30, 41-43), l'invention verbale (l. 36), le recours à l'image (l. 47-48) à valeur satirique. Ce parti pris comique permet une approche dédramatisée du personnage et ménage un temps de repos après la scène violente qui a opposé le père et le fils.

En opposition avec cette technique de la caricature, le portrait de Frosine emprunte ses traits à l'**esquisse**. Molière aborde le personnage en douceur : quelques mots clés donnent une idée floue de sa fonction (« m'entremettre », l. 9 ; « l'intrigue », « l'industrie », l. 14), tandis que des adjectifs à valeur réductrice ou indéfinie banalisent l'autoportrait (« petits talents », l. 11 ; « quelque petite affaire », l. 17 ; « certains services », l. 22). Cette approche permet d'introduire le personnage en lui laissant tout son mystère.

ACTE II, SCÈNE 5

RÉSUMÉ

Harpagon, tout heureux de la tournure que prennent ses affaires, rencontre Frosine qui le complimente sur sa bonne mine et lui prédit une vie de cent vingt ans. L'avare se réjouit de ces bonnes perspectives mais s'inquiète surtout de savoir si les tractations de Frosine auprès de la jeune Mariane ont abouti ; l'entremetteuse le rassure : la mère de la jeune fille se réjouit de prendre Harpagon pour gendre. Mais l'avare exige une dot. Frosine lui démontre alors que Mariane, habituée à vivre simplement, représente pour un mari un gain de douze mille livres. Cependant, Harpagon n'est pas dupe de ce calcul : il reste sur ses positions. À bout d'arguments, Frosine finit par promettre une dot sous forme de biens immobiliers. Pour ce qui est de la différence d'âge – autre préoccupation d'Harpagon –, Frosine assure que Mariane n'aime que les vieillards. Enfin, l'entremetteuse, soucieuse de voir son travail rétribué, évoque ses besoins d'argent : Harpagon coupe court et, prétextant des tâches urgentes, quitte les lieux. Furieuse, Frosine ne s'estime pourtant pas battue.

COMMENTAIRE

Un face-à-face en trois temps

Cette longue scène obéit à une composition en trois temps qui permet des effets comiques de différente nature.

La **première partie** (l. 1-38) correspond à une phase de préliminaires : Frosine, tout à son « art de traire les hommes » (acte II, scène 4, l. 36), prépare le terrain avec force compliments et démontre le pouvoir du cliché (« la fleur de l'âge », « la belle saison de l'homme », l. 15-16) sur un Harpagon subjugué. Totalement réceptif à la flatterie, l'avare fait preuve d'une naïveté caricaturale qui alimente ici le comique de caractère.

Dans la **deuxième partie** (l. 39-195), Harpagon se durcit et reprend l'initiative : ses questions successives (l. 39, 68-69) et ses objections (l. 68, 114) orientent la conversation sur les questions qui le préoccupent (la dot de Mariane, la différence d'âge). Frosine, mise au pied du mur au cours d'un dialogue explosif, capitule sur le problème financier (l. 11-113) mais reprend l'avantage dès qu'elle aborde le thème de la jeunesse. Cette prise de pouvoir qui s'appuie sur le comique de situation détend l'atmosphère et libère le rire après un moment de forte tension.

La **troisième partie** (l. 196-fin) met Frosine en position d'offensive face à un Harpagon en position de repli. Le comique de situation (demande d'argent/esquive) est relayé par le comique de gestes sous forme de mimiques contrastées. Le dialogue devient un duel dont l'avare sort vainqueur.

La flatterie ou l'art du compliment

La flatterie s'impose ici comme un des thèmes principaux de la pièce. Le tête-à-tête Frosine/Harpagon n'est pas sans rappeler le face-à-face Valère/Harpagon de l'acte I (scène 5). Cependant, tandis que la technique de Valère reposait sur l'ironie, la méthode de Frosine, moins sophistiquée, s'appuie essentiellement sur le compliment. Cette nuance met en lumière la supériorité intellectuelle et sociale de Valère et renverrait Frosine au stéréotype vulgaire de l'intrigante si l'art du compliment, chez ce personnage, ne reposait sur un talent verbal remarquable.

Frosine ou le talent verbal

Frosine se caractérise dans cette scène par un génie verbal qui apparaît sous deux formes.

Premièrement, **l'expressivité** : son discours est ponctué d'images (l. 15,16). Les exclamations et les interrogations abondent, relayées par des interrogations rhétoriques (l. 101-105), des hyperboles et des exagérations (l. 6, 9, 33-34, 132-133, 179).

Deuxièmement, **la logique** : dans la longue tirade de la deuxième partie (l. 77-98), l'argumentation de Frosine s'organise autour d'un raisonnement où les idées sont nettement hiérarchisées. Les articulateurs (« premièrement... outre cela... de plus) mettent en évidence la solidité de la démonstration et la variété des arguments. Seule la fragilité des prémisses (« c'est une fille qui vous apportera douze mille livres de rente », l. 74-75) invalide le raisonnement et montre que, chez ce personnage infiniment doué pour la manipulation des apparences, le talent verbal est contrebalancé par un défaut d'intelligence.

Harpagon entre le réel et l'imaginaire

Les objections d'Harpagon, introduites par la conjonction « mais » (l. 68, 114), donnent lieu, à deux reprises, à une argumentation dont l'audace est une insulte au bon sens. Répondant à un parti pris positif qui lui fait transformer chaque obstacle (la pauvreté et la jeunesse de Mariane) en atout, Frosine met en place un **monde fictif** construit sur mesure pour Harpagon. Dans cet univers, les parents survivent à leur descendance, les jeunes filles rêvent de maris âgés et les vieillards sont beaux. Face à cette redéfinition des valeurs, Harpagon a une double attitude : il revendique le retour à la réalité quand il s'agit d'argent mais il s'accommode parfaitement du mensonge quand il s'agit de sa personne. Ce va-et-vient entre le réel et l'imaginaire présente un potentiel comique que Molière exploite largement. Sur le plan psychologique, il donne au personnage de l'avare une complexité qui n'apparaît pas au premier abord.

L'action en marche

La démarche de Molière respecte les règles du théâtre classique : l'acte I introduit les principaux personnages et donne les composants de la situation initiale ; l'acte II engage l'action. Toutefois, ce dispositif traditionnel est ici légèrement dévié : il faut en effet attendre la scène 5 pour que les événements s'enclenchent. Ce procédé de retardement, associé à l'ampleur de la scène, s'accompagne d'un effet dramatique qui nourrit le suspense : à travers les événements annoncés pour le soir même (le mariage d'Élise avec le seigneur Anselme, le souper que l'avare donnera en l'honneur de son futur gendre, la rencontre de Mariane avec son vieux soupirant), les enjeux dramatiques se précisent sur le mode de l'urgence : comment les jeunes gens se sortiront-ils d'un piège qui se resserre ? Qui l'emportera de la jeunesse ou de la vieillesse, de l'amour ou de l'intérêt ?

ACTE III

Harpagon, qui a invité Mariane à dîner, donne des instructions à ses domestiques – en particulier à maître Jacques, le cuisinier-cocher – pour limiter la dépense. Alors que ce dernier proteste, Valère, pour plaire à son maître, s'engage à éviter lui-même le gaspillage (scène 1).

Maître Jacques supporte mal les flatteries qui valent à Valère les faveurs d'Harpagon ; aussi jure-t-il de se venger de l'intendant à la première occasion (scène 2).

Mais Mariane arrive, pleine d'appréhension à l'idée de rencontrer celui qu'on lui destine et le cœur rempli des sentiments que lui inspire un mystérieux jeune homme dont elle est amoureuse. Sa première rencontre avec Harpagon la paralyse d'effroi. Mais elle a le bonheur de reconnaître en Cléante le jeune homme qui lui a fait la cour (scènes 3 à 6).

Les deux jeunes gens, en usant d'un double langage, échangent alors des aveux sous le nez d'Harpagon qui ne comprend pas leur manège. Cléante pousse l'insolence jusqu'à ôter du doigt de son père un diamant qu'il offre à Mariane (scène 7).

49

ACTE III, SCÈNE 1

RÉSUMÉ

En prévision du souper qu'il doit donner, Harpagon multiplie les directives : Dame Claude, Brindavoine et La Merluche reçoivent des consignes d'économie très strictes. Les domestiques veilleront à dissimuler l'état lamentable de leur livrée. Élise et Cléante devront se montrer particulièrement aimables avec leur future belle-mère. Pour le dîner, il faudra que maître Jacques compose un menu aussi frugal que possible. Le cuisinier proteste : on ne peut pas préparer un bon repas dans ces conditions. Mais Valère, prenant le parti de son maître, propose de se charger du dîner. Cette question résolue, il faut que maître Jacques, qui fait aussi office de cocher, s'occupe d'atteler les chevaux pour conduire Mariane et Élise à la foire. Maître Jacques proteste : les chevaux, à moitié morts de faim, ne sont pas en état de bouger. Préoccupé par les commérages des voisins, il va jusqu'à révéler – encouragé par Harpagon – les bruits qui courent sur l'avarice du maître de maison. À ces mots, celui-ci se précipite sur son valet et le roue de coups de bâton.

COMMENTAIRE

Le réalisme de Molière

Dans cette scène, le thème de l'avarice est abordé de façon pragmatique, à travers ses aspects domestiques. Avec un réalisme qui emprunte ses traits à la farce, Molière brosse un tableau sordide du quotidien chez Harpagon : qu'il s'agisse du ménage (ne pas frotter les meubles de peur de les user, l. 5-7), de la table (ne servir du vin que sur demande réitérée d'un invité ; donner de l'eau, l. 15-20 ; économiser sur les menus, l. 80-169 ; tricher sur le calendrier afin de multiplier les jours de jeûne, l. 223-226), de la toilette (les livrées des domestiques sont sales et déchirées, l. 27-37), des chevaux (ils agonisent de faim, l. 166-189 ; Harpagon se lève la nuit pour leur voler leur avoine, l. 232-234), ou du service (maître

Jacques fait office à la fois de cuisinier et de cocher, Harpagon s'arrange pour ne pas verser d'étrennes à ses valets, l. 226-230), tout porte la marque de l'avare. Cette approche **concrète, visuelle et descriptive** saisit Harpagon dans son cadre familial. Toutefois, on observe un glissement de perspective dans la dernière partie de la scène (l. 199-fin) : le point de vue s'élargit ; l'image privée cède la place à l'image sociale et les témoins désignés sont cette fois extérieurs à la maison (« on », « l'un », « l'autre », « celui-là », « celui-ci », « tout le monde », l. 218-242). Sur le plan dramatique, cette orientation annonce une ouverture sur l'extérieur : Mariane et Anselme, éléments étrangers à la maison de l'avare vont bientôt entrer en scène.

Une maison bourgeoise au XVIIᵉ siècle

Pour le spectateur contemporain, cette scène, qui découvre les usages en vigueur dans une maison bourgeoise du XVIIᵉ siècle, présente un intérêt documentaire. Les indices d'époque abondent : domesticité, usages de table, moyens de locomotion, mœurs, acquièrent avec le recul la saveur du temps passé. Mais ces détails qui datent le texte mettent d'autant plus en valeur, par antithèse, la **permanence du caractère humain**. Si dans cette scène, le spectateur contemporain ne reconnaît pas les objets de son univers familier, il retrouve dans les attitudes des personnages des traits restés d'actualité : la passion (l'avarice d'Harpagon), le rapport de force (relations du père et de ses enfants, du maître avec ses serviteurs) s'imposent comme des lois psychologiques et sociales immuables, et soulignent le modernisme de Molière.

Satire et cruauté : Molière moraliste

La satire est dirigée contre Harpagon. Utilisant la palette ordinaire du comique (caractère, situation, mots, gestes), elle incorpore également ici des techniques plus sophistiquées, telles que :
– le **lapsus** : Harpagon inverse les termes de la sentence que vient d'énoncer Valère (« il faut vivre pour manger... », l. 137-138) ;
– le **burlesque** : il oriente le comique vers l'absurde (le chat assigné en justice, l. 230-232) ;

– la **cruauté** : elle met évidence le caractère inhumain d'Harpagon (celui-ci saisit toute occasion pour réduire les gages de ses serviteurs, l. 9-12, 227-230 ; les chevaux sont morts de faim, l. 166-189).

Dans cette scène, le désaveu se fait plus sévère : la caricature révèle en Harpagon un monstre.

La fonction comique de maître Jacques

Maître Jacques est le ressort comique de la scène. Comme La Flèche, il appartient à une **tradition domestique** dans laquelle on retrouve l'influence mêlée de la comédie grecque, de la farce du Moyen Âge et de la *commedia dell'arte*. Il renvoie à un type auquel il emprunte les traits suivants :

– la sincérité : contrairement à Valère, sa parole est libre ;

– le moralisme populaire : « c'est être, monsieur, d'un naturel trop dur que de n'avoir nulle pitié de son prochain » (l. 181-182) ;

– l'attachement à son maître : « je me sens pour vous de la tendresse, en dépit que j'en aie » (l. 204-205) ;

– une représentation naïve du monde : « après mes chevaux, vous êtes la personne que j'aime le plus au monde » (l. 206-207).

Ces traits nourrissent la veine comique de cet épisode et occasionnent des jeux de scène réjouissants : changement de costume (l. 77, 163) ; parole censurée par la main d'Harpagon (l. 118) ; coups (l. 143).

Toutefois, on notera que maître Jacques se démarque du type traditionnel par sa sensibilité (il souffre de voir les chevaux en cet état) et par sa clairvoyance : il a percé à jour Valère (l. 102-103, 196-197, 199-203).

ACTE III, SCÈNE 2

RÉSUMÉ

Restés seuls, Valère et maître Jacques entrent en conflit ouvert : tandis que l'intendant se moque du cuisinier rossé pour sa franchise, maître Jacques, poussé à bout, menace Valère d'un bâton. Faisant mine d'avoir peur, Valère recule puis reprend l'avantage et assène des coups de bâton à son adversaire. Maître Jacques renonce à la sincérité et promet de se venger.

COMMENTAIRE

Une scène de transition et de divertissement

Cette scène ne fait pas avancer l'intrigue. Servant d'épilogue à la longue scène précédente, elle a un rôle essentiellement fonctionnel.

Cependant, le face-à-face Valère/maître Jacques permet un jeu d'oppositions particulièrement divertissant. Dans la première partie de la scène en effet, Valère et maître Jacques échangent leurs rôles : l'intendant devient un valet peureux tandis que maître Jacques parodie le courage (l. 1-22). Dans la seconde partie, chacun des deux personnages retrouve sa fonction d'origine et le schéma initial se remet en place.

Du point de vue thématique, la scène alimente la **problématique du mensonge** : en renonçant à la sincérité (l. 38-40), maître Jacques renforce le choix de Valère. Mais en caressant l'idée de vengeance (« je me vengerai si je le puis », l. 42), il se démarque de son adversaire. Ces deux orientations contradictoires donnent au personnage de maître Jacques une complexité psychologique qui pourra donner lieu à une exploitation dramatique.

Enfin, du point de vue de la technique théâtrale, ce bref intermède permet à Molière des jeux de scène empruntés au comique de farce (la menace, la reculade, les coups de bâton).

ACTE III, SCÈNES 3, 4, 5, 6

RÉSUMÉ

Après le départ de Valère, maître Jacques rencontre Frosine. L'entremetteuse demande alors à être annoncée **(scène 3)**.

En attendant de rencontrer le maître de maison, elle s'entretient avec Mariane qui l'accompagne. La jeune fille exprime son appréhension à l'idée de rencontrer le mari qu'on lui destine. Son désespoir est d'autant plus grand qu'elle a un amoureux : un jeune homme dont l'identité lui est inconnue mais qui lui a rendu visite plusieurs fois. Frosine la raisonne et lui fait entrevoir les avantages de choisir un vieux mari : la fortune et la liberté lui seront assurées en même temps car la mort de son époux viendra la libérer dans les trois mois. Mais Harpagon fait son entrée en scène : Mariane pousse un cri d'effroi **(scène 4)**.

Harpagon complimente la jeune fille : pour lui, elle est comme un astre. Le silence qui accueille ses propos inquiète l'avare, mais Frosine le rassure : Mariane est sous le coup de la surprise. De plus, les jeunes filles sont généralement timides **(scène 5)**.

Mais Élise arrive et échange avec Mariane les politesses d'usage. Tandis que la jeune fiancée exprime tout bas à Frosine le dégoût que lui inspire Harpagon, Cléante entre en scène. Mariane est stupéfaite de reconnaître dans le jeune homme le mystérieux prétendant qui fait battre son cœur **(scène 6)**.

COMMENTAIRE

L'arrivée de Mariane : une péripétie majeure

Très attendue, Mariane paraît enfin sur scène. Cette nouvelle figure féminine a été maintes fois évoquée au cours de l'acte I (scène 2, 4, 5) et de l'acte II (scène 5) : le spectateur sait que la jeune fille est potentiellement l'objet d'un conflit

majeur entre Harpagon et son fils. Du point de vue dramatique, elle représente donc un enjeu de première importance
pour la suite de l'intrigue.

Dans la scène 5, l'idylle avouée de la jeune fille avec Cléante
place résolument ce personnage dans le camp de la jeunesse
et de l'amour, où il rejoint Valère et Élise, tandis que le piège
savamment organisé par la coalition Frosine-Harpagon la
désigne comme une victime de la vieillesse et de l'argent.

Cette situation du personnage est mise en évidence par
le jeu des pronoms : le « on » qui désigne dans la scène 4 le
complot des adultes (« le supplice où l'on veut m'attacher »,
l. 8 ; « l'époux qu'on veut me donner », l. 23-24) s'oppose au
« je » qui revendique le droit d'aimer et qui affirme son intérêt
pour Cléante. Toute la dynamique du personnage réside dans
ce passage périlleux du statut de proie à celui de femme libre.

Le thème du mariage forcé

Le thème de la jeune fille obligée d'épouser contre son gré
un homme qu'elle n'aime pas, est une des dominantes du théâtre
de Molière : Mariane livrée à la convoitise d'Harpagon n'est
pas sans rappeler Angélique promise à Thomas Diafoirus
(*Le Malade imaginaire*). Mais ici, le thème est dramatisé car
le prétendant imposé est âgé.

Ce **schéma ternaire** (la jeune fille, son jeune amoureux
et son vieux soupirant) génère toute une gamme de sentiments
et de situations dont Molière exploite à fond le potentiel dramatique : chez Mariane, l'angoisse (scène 4 : « appréhende »,
l. 2 ; « alarmes », l. 7 ; « le supplice », l. 8 ; « un tourment
effroyable », l. 23) fait bientôt place à l'horreur (scène 4,
l. 44 : « Ah ! Frosine, quelle figure ! »), puis à l'indignation
(scène 6 : « Ô l'homme déplaisant ! », l. 7 ; « Quel animal ! »,
l. 12). Dès la fin de la scène 4, la phrase déclarative est relayée
par une série de constructions exclamatives qui traduisent déjà
le refus. À ces réactions négatives s'oppose le mouvement de
surprise que produit l'apparition de Cléante. L'exclamation,
cette fois, traduit un sentiment positif (« Ah ! Frosine, quelle
rencontre ! l. 17). Les émotions successives qu'éprouve Mariane
permettent de cerner la progression dramatique dans la scène :
à mi-chemin de la pièce, le trio du mariage forcé, enfin réuni,
va donner à l'action une impulsion nouvelle.

L'avare amoureux :
la double fonction du personnage

Dans les scènes 5 et 6, Harpagon se présente comme un séducteur. Cette facette insolite du personnage régénère le thème de l'avarice par l'introduction d'un thème secondaire, *a priori* incompatible avec le premier. Au carrefour de deux types (l'avare/le séducteur), le personnage d'Harpagon, jusque-là univoque, est soudain déchiré par une double fonction. Cette discordance, mise en évidence par la maladresse du discours, alimente le comique de caractère, de situation et de mots.

Une parodie du discours amoureux

Le langage d'Harpagon repose ici sur une parodie du discours amoureux : la séduction verbale respecte les conventions du genre mais en les dénaturant. On remarque en effet que le vocabulaire amoureux reste pauvre et l'on observe des répétitions qui révèlent l'amateur (« appas », « belle mignonne », « adorable mignonne », « astre » répété quatre fois). En outre, la parole conquérante est ternie par l'émergence d'un discours parallèle qui dénonce le vieillard (le mot « lunettes » répété trois fois), et qui trahit le méchant homme (« vous voyez qu'elle est grande mais mauvaise herbe croît toujours », l.5-6 ; « je vois que vous vous étonnez de me voir de si grands enfants ; mais je serai bientôt défait et de l'un et de l'autre », l.21-23).

RÉSUMÉ

Cléante avoue à Mariane sa surprise de lui voir épouser Harpagon. Il lui déconseille ouvertement ce mariage qui, dit-il, contrarie ses projets et ses sentiments. Ses aveux sont reçus avec un bonheur non dissimulé : Mariane se déclare prête à rompre un engagement qui lui a été imposé. Indifférente aux protestations d'Harpagon, la jeune fille se montre ravie et encourage la sincérité de Cléante. Se substituant à son père, le jeune homme fait alors une déclaration d'amour en bonne et due forme. Mais Harpagon, qui ne comprend pas le manège des deux amoureux, reprend la parole. Comme il s'excuse de ne pas avoir servi de collation à son invitée, Cléante lui annonce qu'il a commandé, au nom de son père, un goûter des plus raffinés. À cette nouvelle, l'avare appelle tout bas Valère à son secours. Mais Cléante enchaîne : après avoir souligné la beauté du diamant qui orne le doigt d'Harpagon, il fait essayer la bague à Mariane et lui demande de la garder comme présent. Harpagon proteste tout bas tandis que Mariane fait son possible pour rendre le diamant à son propriétaire. Le père menace tout bas le fils qui fait mine de ne rien entendre et qui insiste. Malgré ses réticences, Mariane, encouragée par Frosine, décide de remettre à plus tard la restitution de la bague **(scène 7)**.

Sur ces entrefaites, Brindavoine vient annoncer à son maître l'arrivée d'un visiteur. Harpagon n'a pas le temps de le recevoir. Cependant, il se ravise lorsque le serviteur lui précise que cet homme lui apporte de l'argent **(scène 8)**.

À cet instant précis, La Merluche arrive en courant pour annoncer que les chevaux sont déferrés. Dans son élan, il fait tomber Harpagon qui croit qu'on cherche à l'assassiner. Toutefois, reprenant ses esprits, l'avare ordonne à son serviteur de faire ferrer les chevaux tandis que Cléante propose à Mariane de lui tenir compagnie en attendant que l'attelage soit prêt. Harpagon charge alors Valère de limiter la collation au strict minimum. Il maudit l'extravagance de Cléante et se retire **(scène 9)**.

La provocation et le rire

Le comique de la scène 7 fonctionne essentiellement sur l'effet de surprise et sur la provocation : l'impertinence de Cléante, que souligne Harpagon (l. 24, 37 ; puis scène 9, l. 24), consiste à défier son père par un refus d'obéissance alors qu'on attend de lui une certaine soumission (*cf.* acte I, scène 3, l. 59-64 : « je ne puis pas vous promettre d'être bien aise qu'elle devienne ma belle-mère ; mais pour ce qui est de la bien recevoir et de lui faire bon visage, je vous promets de vous obéir ponctuellement sur ce chapitre »). En disant tout haut ce qu'il pense, le jeune homme exécute un projet mûrement réfléchi mais joue sur l'ambiguïté de sa promesse. Ce faisant, il crée un effet de surprise qui va *crescendo* à mesure que s'affirme, avec l'épisode de la collation puis avec le don du diamant, une volonté non dissimulée de défendre son amour et de prendre une revanche sur l'avarice de son père. Les effets comiques liés à cette conduite sont fortifiés par l'incompréhension d'Harpagon : dans toute la première partie de la scène 7 (l. 1-72), ses répliques, à son insu, le tournent en ridicule tandis que dans la seconde partie (l.72-135), ses chuchotements et ses apartés, relayés par les jeux de scène et les grimaces, orientent l'action vers la farce.

Les enjeux de la parole et du silence

Dans la scène 7 où sont réunis cinq personnages, la parole est monopolisée par Cléante et Mariane face à des témoins silencieux (Élise) ou peu bavards (Frosine, Valère). On notera toutefois que tous les personnages en scène sont impliqués dans l'action qui se déroule et que la distribution de la parole, qui avantage Cléante et Mariane, masque des courants et des enjeux de première importance. En effet, la parole revendique chez les deux jeunes gens le droit de s'aimer. Elle neutralise les manœuvres de la coalition Harpagon-Frosine et assure le triomphe du sentiment sur l'intérêt. Cette parole spontanée est aussi **insolente** : elle défie le monde adulte. Elle est **libératrice** : elle affranchit les amoureux de la tutelle des adultes. Mais surtout, elle est **subversive** : mettant à jour la stupidité d'Harpagon qui ne comprend pas le manège de son fils, elle fragilise l'image toute-puissante du maître, ce qui ouvre la voie à d'autres rébellions : à l'exemple de son frère, Élise, le double encore asservi de Mariane, tentera peut-être de s'affranchir. Enfin, le dialogue de Cléante et de Mariane prend le contrepied des théories défendues par Valère : il valorise la vérité et sert de contre-exemple aux options de l'intendant (flatterie, hypocrisie). À plus ou moins long terme, il peut montrer que la sincérité est la voie royale qui conduit au bonheur.

La rivalité du père et du fils

Les rapports d'Harpagon et de Cléante prennent ici une tournure résolument conflictuelle. À mesure que l'intrigue se noue, Cléante évolue vers une révolte de plus en plus ouverte. Jusquelà, Cléante opérait dans l'ombre : au début de la pièce (acte I, scène 2 ; acte II, scène 1), il se contentait de pester contre l'autorité et l'avarice de son père, et de revendiquer, sous l'effet de l'amour, son droit à l'indépendance. Dès le début, Molière montre cependant qu'il ne s'agit pas là d'un simple conflit de générations : il existe entre le père et le fils une rivalité de fond qui porte sur un **même appétit de l'argent**. Cette cupidité se traduit par deux attitudes opposées : Harpagon thésaurise, Cléante dépense (*cf.* acte I, scène 4). Mais la relation orageuse entre père et fils prend bien vite une tournure plus dramatique : en effet ils se disputent la même femme : Mariane (acte I, scène 4). Dans ce contexte, la scène 7 de l'acte II marque un tournant décisif du rapport entre Harpagon et Cléante : jusque-là, Harpagon, investi du pouvoir paternel, dominait et la révolte de Cléante restait virtuelle. Or, dans la scène de l'acte III, le fils dit tout haut son ambition : « souffrez, madame, que je me mette ici à la place de mon père » (l. 56-57). Cette usurpation d'identité permet de fait à Cléante de matérialiser un projet longtemps caressé. La simulation est une façon pour le fils de s'emparer des privilèges du père. En faisant d'Harpagon la dupe de son jeu, Cléante conquiert le pouvoir. Dominant par la parole, il prend l'avantage sur son père et modifie les données psychologiques et dramatiques de l'intrigue.

Le code amoureux au temps de Molière

À travers cette scène, se dessine le code amoureux en vigueur au temps de Molière. La peinture amorcée dans la scène 1 de l'acte I avec le tendre dialogue de Valère et d'Élise, est ici complétée par la déclaration d'amour de Cléante à Mariane. Cet échange met en lumière l'importance du discours amoureux conçu comme un art du compliment. L'**hyperbole**, qui valorise les qualités de la dame et met en avant le désir de l'amoureux, utilise abondamment la syntaxe du comparatif et du superlatif. Elle s'appuie sur un lexique éloquent et des mots forts qui donnent à l'expression une tournure nettement rhétorique : « mon père, madame, ne peut pas faire un plus beau choix » (l. 8-9), « je n'ai rien vu dans le monde de si charmant que vous [...] ; je ne conçois rien d'égal au bonheur de vous plaire [...], une gloire, une félicité, que je préférerais aux destinées des plus grands princes de la terre. [...] la plus belle des fortunes [...] ; toute mon ambition. Il n'y a rien que je ne sois capable de faire pour une conquête si précieuse ; et les obstacles les plus puissants... » (scène 7, l. 57-66). Mais l'usage veut que le discours s'accompagne d'un cadeau : Harpagon, pris au piège des convenances, ne peut reprendre le diamant que Cléante offre en son nom à Mariane. On voit également, à travers l'épisode de la collation, qu'il est de bon ton, à l'époque, de présenter à une fiancée des mets délicats.

ACTE IV

Cléante et Mariane qui voient l'échéance du mariage d'Harpagon approcher, demandent son aide à Frosine. L'intrigante, gagnée à la cause des jeunes gens, élabore un plan qui consiste à faire rencontrer à l'avare une riche veuve. Pour prendre congé, Cléante dépose un baiser sur la main de Mariane (scène 1).

Harpagon qui a surpris ce geste d'intimité comprend qu'on lui cache quelque chose. Pour éprouver son fils, il prétend ne plus vouloir épouser Mariane. Cléante tombe dans le piège et avoue qu'il est amoureux de la jeune fille. Harpagon entre alors dans une colère terrible ; père et fils en sont presque aux mains (scène 3) quand survient maître Jacques. Le cuisinier fait mine de réconcilier les deux rivaux en faisant croire à chacun que son adversaire renonce (scène 4).

Mais la querelle rebondit de plus belle lorsque père et fils comprennent qu'ils ont été joués : Harpagon déshérite, maudit et chasse Cléante (scène 5).

Survient alors La Flèche porteur de la précieuse cassette de l'avare (scène 6).

Harpagon qui vient de découvrir le vol crie au secours, se désespère et jure de retrouver les coupables (scène 7).

ACTE IV, SCÈNE 1

RÉSUMÉ

Cléante se réjouit de se trouver enfin entouré de personnes de confiance. Malgré Élise qui assure Mariane de son soutien, les deux jeunes gens sont sur le point de perdre espoir, car ni l'un ni l'autre ne sait comment se sortir du piège qui les enferme : par piété filiale, Mariane refuse de désobéir à sa mère et demande à Cléante de tout faire pour trouver une solution, mais dans le strict respect des usages. Cette restriction n'est pas vraiment du goût de Cléante et ne lui laisse qu'une possibilité : avouer ses sentiments à la mère de Mariane et essayer de gagner son cœur. Le jeune homme demande alors l'aide de Frosine : selon l'intrigante, il sera possible de convaincre la mère de Mariane mais, pour Harpagon, les choses seront plus difficiles. Néanmoins, Frosine élabore un plan : elle va mettre sur le chemin de l'avare une de ses amies qui jouera le rôle d'une femme de qualité pourvue d'une grosse fortune. Cette femme se déclarera éperdûment amoureuse de lui et se dira prête à lui céder tout son bien dans un contrat de mariage. Ce plan enchante Cléante qui promet de ne pas laisser sans récompense les efforts de Frosine. Mariane, quant à elle, devra, suivant les directives de l'entremetteuse, intervenir sans tarder auprès de sa mère pour la décider à rompre l'engagement contracté auprès d'Harpagon.

COMMENTAIRE

Le nœud de l'action : une situation bloquée

Les aveux de la scène 7 n'ont pas débloqué la situation : par son insolence, Cléante s'est provisoirement emparé du pouvoir, mais l'excitation de la provocation passée, les deux jeunes gens se retrouvent totalement impuissants. La précarité de leur situation apparaît à travers la forme interrogative qui domine dans toute la première partie du dialogue (l. 1-49).

Du point de vue technique, cette paralysie de l'action permet à Molière de donner un nouvel éclairage sur les personnages et de compléter sa peinture des caractères : dans l'adversité, Élise se montre solidaire (l. 4-13) ; Mariane, héroïque dans la scène 7 de l'acte III, fait marche arrière et appelle à l'aide son bien-aimé. Quant à Cléante, il montre de la nervosité ; la répétition de la négation « point de » (l.25-27) marque sa déception devant la reddition de son alliée de la scène précédente, tandis que s'exprime ouvertement son exaspération devant la probité de Mariane : à travers des paroles où les adjectifs « fâcheux », « rigoureux » et « scrupuleuse » remettent en question les valeurs fondamentales de l'époque (l'honneur et la bienséance, l.33-36), se confirme une nature rebelle, peu soucieuse des moyens à employer pour parvenir à ses fins.

Du point de vue dramatique, le ton grave de cette scène, qui contraste avec le comique des dernières scènes de l'acte III, réactive l'intérêt du spectateur et régénère le suspense.

Le revirement de Frosine : une nouvelle alliance

Après la scène 5 de l'acte II où elle apparaît en duo avec Harpagon, Frosine joue le rôle d'accompagnatrice dans les scènes 3, 4, 5, 6 de l'acte III où elle chaperonne Mariane lors de sa rencontre avec l'avare, puis elle est le témoin presque silencieux de l'offensive de Cléante dans la scène 7.

Au début de l'acte IV, elle reprend une place de première importance : élément moteur de l'action (elle est à l'origine de la rencontre Harpagon-Mariane), elle répond favorablement à l'appel de la jeunesse et, prenant le contre-pied de ses options antérieures, change de camp. Il y a deux raisons à ce revirement :

L'intérêt tout d'abord : en effet Frosine n'a pas obtenu d'Harpagon le paiement de ses services. Dès la fin de son entrevue (acte II, scène 5, l. 196-242), elle est décidée à jouer une autre carte qui servira mieux ses intérêts (« j'ai l'autre côté, en tout cas, d'où je suis assurée de tirer bonne récompense », l. 241-242). La promesse de Cléante (« Sois assurée, Frosine, de ma reconnaissance, si tu viens à bout de la chose », l. 97-98) prouve la validité de ses calculs.

Ensuite, **moralement,** Frosine est responsable de la situation. Le système des temps verbaux met en relief son implication : dans la phrase « je vous aurais sans doute détourné cette inquiétude et n'aurais point amené les choses où l'on voit qu'elles sont » (l. 16-18), le conditionnel donne, sur le mode de l'irréel du passé, une évaluation correcte de ses responsabilités. En écho à cet aveu, trois répliques à l'impératif cherchent à émouvoir (« Songe un peu, je te prie/ Ouvre-nous tes lumières », l. 57-58) ou à culpabiliser Frosine (« Trouve quelque invention pour rompre ce que tu as fait », l. 59-60).

L'intérêt et la morale se conjuguent donc ici pour inverser les alliances. On remarquera toutefois que la fonction de Frosine dans la pièce reste la même : l'intrigante rectifie son tir sans, toutefois, dénaturer son personnage.

Une péripétie en perspective

La ruse de Frosine, si elle témoigne d'une habileté qui entre dans la définition du personnage, annonce un tournant dans l'action sous la forme d'une péripétie. Comme précédemment, la manœuvre de l'intrigante fait intervenir l'amour et l'argent. Mais ces deux thèmes essentiels sur lesquels est édifiée l'intrigue vont maintenant se rattacher de façon plus solide au troisième thème fondateur de la pièce : **le mensonge**. En effet, la fiction qu'élabore Frosine pour attirer Harpagon dans un piège (une dame riche et éprise) réactualise le motif de la feinte, laissé en suspens avec Valère. **Le masque** – technique chère à Molière – nourrit dans la pièce une réflexion morale sur la vérité et le mensonge, et valorise indirectement le genre de la comédie qui devient un véhicule de la pensée. Sur le plan technique, la mystification, directement héritée du genre de la farce, contient en germe une multitude d'effets comiques. Enfin, sur le plan dramatique, le stratagème de Frosine va peut-être permettre de dénouer l'action dans un sens favorable à la jeunesse.

ACTE IV, SCÈNES 2 ET 3

RÉSUMÉ

Harpagon surgit à l'instant même où Cléante, sur le point de prendre congé, dépose un baiser sur la main de sa bien-aimée. Il soupçonne aussitôt un secret. Les chevaux étant prêts, il invite Élise et Mariane à partir pour la foire. Comme Cléante se propose d'accompagner les jeunes filles, son père lui demande de rester **(scène 2)**. Aussitôt la conversation porte sur Mariane : Harpagon veut connaître l'avis de son fils sur sa future belle-mère. Cléante souligne la médiocrité physique et intellectuelle de la jeune fille. Harpagon déplore ce manque d'enthousiasme : conscient de la différence d'âge, il était sur le point de renoncer à son mariage et de proposer à son fils le rôle de prétendant. À cette nouvelle, Cléante se déclare prêt à obéir à son père. Mais Harpagon refuse une telle docilité : il ne veut pas forcer les sentiments de son fils. Sur le point de perdre la partie, Cléante avoue alors son amour pour Mariane. Il raconte en détails son idylle avec la jeune fille. Harpagon change alors de ton : bien loin de vouloir renoncer à Mariane, il exige de son fils un retrait définitif. Mais Cléante reste fermement sur ses positions tandis que son père le menace de coups de bâton **(scène 3)**.

COMMENTAIRE

Le jeu sur le vrai et le faux

Le doute qui s'installe dans l'esprit d'Harpagon après la scène 2 lui inspire un plan machiavélique, destiné à lever le voile sur les relations de son fils avec Mariane. Sa stratégie dans la scène 3 est simple : **prêcher le faux pour savoir le vrai**. Cette tactique a pour effet de brouiller les cartes : elle entraîne une perversion radicale du vrai et du faux jusqu'à l'aveu (l. 52-78) qui réactive le conflit entre le père et le fils (l. 79-fin).

Le piège fonctionne comme un mécanisme à trois temps :
– **premier temps** (l. 1-20) : interrogé par son père, Cléante, conscient de s'être trahi dans les scènes précédentes, renvoie une image négative de Mariane ;

– **deuxième temps** (l. 21-32) : pour tester la validité de ce jugement, Harpagon fait croire à Cléante qu'il lui destinait la jeune fille ;

– **troisième temps** (l. 33-51) : revirement de Cléante qui, affichant soudain un respect filial et une sagesse de pensée inaccoutumés, prétend épouser Mariane pour obéir à son père.

Par comparaison avec les dernières scènes de l'acte III, le rapport de force est ici totalement **inversé** : Cléante, manipulé par son père, tombe dans le piège avec une facilité déconcertante qui atteste une naïveté peut-être liée à la jeunesse du personnage mais qui, surtout, démontre chez Harpagon un art consommé du bluff.

La technique du bluff

Elle s'organise autour d'un choix d'expressions particulièrement habiles :

1. Une **syntaxe** qui permet à Harpagon d'emprisonner sa proie :

– l'interrogation (l. 7, 12, 18-19) : elle cherche à recueillir le maximum d'informations sur lesquelles va se fonder l'accusation ;

– la cause et la conséquence (l. 18, l.26-28) : elles encerclent l'adversaire dans une logique implacable ;

– l'énumération : elle dresse un inventaire destiné à ne rien laisser au hasard (l. 4-5).

2. Un système des **temps verbaux** qui enferme Cléante dans ses propres contradictions :

– l'imparfait : « tu lui disais tantôt pourtant... » (l. 15) : il permet de confronter le passé et le présent de façon à faire émerger des contradictions ;

– le conditionnel : il atténue la vérité (« tu n'aurais pas d'inclination pour elle ? », l. 18-19) ou permet d'évoquer une situation imaginaire particulièrement tentante pour Cléante (« je te l'aurais donnée sans l'aversion que tu témoignes », l. 27-28). Rassurant, il désarme l'adversaire.

Au regard de cet appareil sans faille, le discours de Cléante est défensif :

– l'interrogation, chez lui, n'est pas spontanée. Calquée mot pour mot sur les questions d'Harpagon, elle marque l'embarras (l. 3) ou l'incrédulité (l. 29, 31). Elle signale la fragilité de Cléante dans ce tête-à-tête et devient un ressort du comique (mots/situation) ;

– la négation (« point du tout », l. 20) ou l'opposition (« mais », l. 17) : elles trahissent chez Cléante un désir de justification qui le place en position de faiblesse face à son père.

Une double parodie

Le jeu sur le vrai et le faux est appuyé, dans la première partie de la scène (l. 1-51), par une double parodie qui affecte deux thèmes essentiels de la pièce : **le mariage et la relation parents-enfants**. Les répliques d'Harpagon : « un mariage ne saurait être heureux où l'inclination n'est pas » (l. 40-41), « du côté de l'homme, on ne doit point risquer l'affaire » (l. 45-46) attestent sur le mariage une sagesse d'emprunt qui laisse place à l'intransigeance du personnage dans la dernière partie de la scène (l. 79-fin).

Quant aux répliques de Cléante, elles font la caricature du respect filial (« mais pour vous faire plaisir, mon père, je me résoudrai à l'épouser, si vous voulez », l. 34-35) et de la raison adulte (« l'on dit que l'amour est souvent le fruit du mariage », l. 43-44). Elles sont en complète contradiction avec la nature rebelle du personnage qui réapparaît dans la dispute (l. 79-fin). **De ces écarts entre la parole énoncée et la réalité des caractères naît le comique de la scène.** Mais, comme toujours dans le théâtre de Molière, la parodie ouvre un débat moral, donnant à la comédie une valeur éducative.

La crise : sommet dramatique de la pièce

La scène 3 se termine sur une crise qui marque le paroxysme du désaccord entre le père et le fils. Au fil des scènes, le conflit des générations s'est peu à peu doublé d'une **rivalité amoureuse**. Ce motif est essentiel à la pièce : il définit l'unité d'action ; il alimente le comique de caractère, de mots, de situation et de gestes ; il a une valeur fonctionnelle plus spécifiquement dramatique. En effet, au fur et à mesure des scènes où s'affrontent Cléante et Harpagon, le motif de la rivalité amoureuse permet à Molière de poser les jalons de la crise finale qui prépare le dénouement. La violence de cette scène où père et fils en viennent presque aux mains, constitue une phase très sensible de l'action : Cléante et Harpagon ont atteint un point de non-retour et le problème est désormais si aigu qu'il appelle une solution.

ACTE IV, SCÈNE 4

RÉSUMÉ

Maître Jacques survient au moment où Harpagon, hors de lui, s'apprête à frapper Cléante. Il essaie de calmer les deux adversaires quand Harpagon, sûr de son bon droit, lui demande d'arbitrer l'affaire. Après avoir pris soin dans un premier temps de séparer le père et le fils, maître Jacques engage alors une négociation. Tenant conciliabule, il interroge tour à tour le père et le fils, courant de l'un à l'autre. Les deux adversaires donnent chacun leur version des événements : maître Jacques donne d'abord raison au père, puis au fils. Après avoir ainsi calmé le jeu, il annonce alternativement aux deux belligérants que chacun d'eux est en droit d'épouser Mariane. Enchantés d'avoir remporté une victoire, le père et le fils remercient maître Jacques (scène 4).

COMMENTAIRE

La médiation de maître Jacques : une solution factice

Après avoir occupé les scènes 1, 2, 3 de l'acte III, maître Jacques, le cuisinier-cocher, réapparaît dans le rôle d'arbitre. Cette nouvelle fonction qui engage sa responsabilité sur un problème étranger à la maintenance de la maison est d'autant plus périlleuse que la demande est chargée d'implicite : « Je veux te faire toi-même, maître Jacques, juge de cette affaire, pour montrer comme j'ai raison » (l. 12-13). Le présupposé « j'ai raison » ne laisse guère de place à la liberté du médiateur et oriente le jugement en faveur d'Harpagon. Dans ces conditions, le parti pris de maître Jacques, qui consiste à donner raison aux deux adversaires, atteste soit une impuissance à juger objectivement de l'affaire, soit une volonté délibérée de ne pas se compromettre.

Cependant, l'option de maître Jacques a également d'autres fonctions dramatiques :

1. Elle entre dans la psychologie du personnage : maître Jacques n'aime pas la violence (*cf.* acte III, scène 1).

2. Elle permet à maître Jacques d'exprimer, de façon détournée, un point de vue personnel sur ses maîtres : Harpagon maltraite son fils (l. 47-48). Quant à Cléante, son tempérament emporté et son manquement au respect filial lui portent préjudice (l. 59-62).

3. Elle nourrit le comique de la scène :

– le **comique de mots** fondé sur la symétrie : dans la première partie de la scène, la répétition (« Ah ! monsieur, doucement »/ « Ah ! monsieur, de grâce », l. 4-6 ; « Hé quoi ! à votre père ? »/ « Hé quoi ! à votre fils », l. 8-10 ; « Ah ! il a tort »/« Il a tort assurément », l. 19-36 ; « Vous avez raison », l. 24-41 ; « Eh bien, votre fils n'est pas si étrange que vous le dites »/« Eh bien, votre père n'est pas si déraisonnable que vous le faites », l. 43-55) est le signe avant-coureur du dédoublement de maître Jacques. Dans la seconde partie, elle devient la marque de sa duplicité.

– le **comique de gestes et de situation** : une ligne de démarcation invisible sépare les belligérants et oblige maître Jacques à se déplacer constamment sur l'espace scénique ;

– le **comique de caractère** : l'activisme de maître Jacques masque mal sa légèreté dans la mission qui lui est confiée. Il désamorce la violence sans traiter le problème.

4. Elle a une valeur utilitaire : en apportant une solution factice à la crise, l'option de maître Jacques permet à Molière de prolonger le conflit entre Harpagon et Cléante et de maintenir le suspense.

5. Elle inscrit Molière dans la tradition de la *commedia dell'arte* : personnage protéiforme, maître Jacques correspond au type du valet de comédie qui change de fonction ou se déguise selon les nécessités de l'action.

ACTE IV, SCÈNE 5

RÉSUMÉ

Sûr d'avoir remporté la partie, Cléante se confond en remerciements auprès de son père. Harpagon, tout à la satisfaction de voir enfin son fils rangé à de bons sentiments, se montre magnanime et plein d'indulgence pour l'avenir. Mais lorsque Cléante lui exprime son bonheur à la perspective d'épouser Mariane, Harpagon comprend son erreur. Bientôt, la vérité se fait jour dans l'esprit des deux personnages et la querelle reprend de plus belle. De menace en menace, le père décide de déshériter son fils.

COMMENTAIRE

Le quiproquo

Dans son procédé, cette scène fait référence à la scène 2 de l'acte II qui développe elle aussi un quiproquo. Cette technique fondamentale de la comédie consiste à présenter sur scène des personnages provisoirement dupes d'une situation qui se dénoue sous les yeux du spectateur, complice de l'auteur.

Ici, le malentendu sur lequel se greffe la réconciliation du père et du fils est l'œuvre de maître Jacques : Cléante et Harpagon sont respectivement certains de pouvoir épouser Mariane.

La scène est construite en deux parties de proportion égale qui mettent en valeur le mécanisme du procédé :
– première partie (l. 1-24) : les deux protagonistes, fonctionnant sur une information erronée, signent leur réconciliation ;
– deuxième partie (l. 25-fin) : la vérité se fait jour et la querelle entre le père et le fils reprend de plus belle.

Les deux parties s'articulent autour d'une réplique dont la forme interrogative et l'économie (un simple adverbe) annoncent un changement de cap. Comme dans la scène 2 de l'acte II, le « Comment ? » (l. 24) d'Harpagon marque la résolution du quiproquo et annonce une rupture de ton dans la scène. L'opposition des deux parties donne à la scène sa facture comique, en dépit de la malédiction paternelle qui clôture le dialogue.

La réconciliation

Durant le bref épisode de la réconciliation, les cinq premières répliques de Cléante présentent, pour la première fois dans la pièce, un rebelle apaisé : expression du regret que traduit le passé composé « j'ai fait » (l. 2), débouchant sur les promesses du futur (« je conserverai », l. 17). Dans leur style ampoulé, ces répliques traduisent la reconnaissance d'un fils peu habitué à exprimer des sentiments positifs à l'égard de son père : « Je vous assure » (l. 4) ; « quelle bonté » (l. 8) ; « Quoi ! » (l. 12) ; « Je vous promets [...] jusque au tombeau » (l. 16-17).

Quant aux répliques d'Harpagon, chargées de vocabulaire moral (« raisonnable », l. 7 ; « fautes », « devoir », l. 10-11 ; « soumission », « respect », l. 15), elles manifestent la satisfaction d'un père dont les prérogatives sont enfin reconnues.

La reprise des hostilités

La seconde partie de la scène fait régresser l'action : la reprise des hostilités s'inscrit en continuité avec la fin de la scène 3 où père et fils en étaient presque venus aux mains. Ce recul atteste que la scène 4, dans laquelle intervient maître Jacques, a la valeur d'un intermède comique et qu'elle ne sert pas l'action.

Ici, le dialogue présente en premier lieu un changement de rythme : les longues phrases de la première partie laissent place à des **unités courtes** et même à des répliques monosyllabiques (l. 31, 36, 47, 49) qui suggèrent la nervosité de l'échange. En second lieu, la **symétrie** des constructions et la **reprise** de certains termes (« renoncer »/« renoncer », l. 34-35 ; « faire »/ « faites », l. 42-43 ; « abandonne »/« abandonnez », l. 46-47) mettent en valeur la similitude des caractères malgré l'effort évident que font les deux personnages pour se démarquer l'un de l'autre, notamment par le jeu des pronoms (« vous/moi/ toi/moi », l. 30-35). Ces procédés, déjà utilisés dans le premier quiproquo de la pièce (acte II, scène 2), montrent que, loin d'improviser, Molière obéit là aux règles d'un genre et puise dans un répertoire de procédés.

ACTE IV, SCÈNES 6 ET 7

RÉSUMÉ

La Flèche sort du jardin, chargé d'une cassette. Dans un grand état d'excitation, il demande à Cléante de le suivre. Devant le jeune homme ébahi, La Flèche brandit le trésor de l'avare : il a réussi à s'emparer du coffret. Mais les hurlements d'Harpagon obligent Cléante et son valet à se sauver **(scène 6)**.

L'avare, qui vient de découvrir le vol, appelle à l'aide. Au comble du désespoir, il crie à l'assassin et ne sait où diriger ses recherches. Sur le point de perdre la raison, il croit avoir attrapé le coupable quand il s'aperçoit que le prétendu voleur n'est autre que lui-même. Ses plaintes reprennent alors de plus belle. Mais bientôt, il songe à faire une enquête : tous les membres de la maison seront interrogés, et même torturés. Personne n'échappe à ses soupçons : il voit son voleur partout, même parmi les spectateurs de la pièce ! Il se sent entouré d'ennemis. Déterminé à s'en remettre à la justice, il se déclare prêt à faire pendre tout le monde et, s'il ne retrouve pas son argent, à se pendre lui-même **(scène 7)**.

COMMENTAIRE

Un coup de théâtre

La technique du coup de théâtre qui repose sur l'effet de surprise, apporte une solution inattendue à un problème insoluble. En cette fin d'acte IV, le vol de la cassette est l'événement clé qui va permettre de sortir de l'impasse et d'arriver au dénouement : en effet, ce vol **change** les rapports de force entre Cléante et Harpagon, en donnant au fils un moyen de pression sur le père. Il ouvre donc de nouvelles perspectives. Associé au projet de Frosine (introduire dans l'action une riche veuve amoureuse d'Harpagon), il resserre l'étau autour de l'avare. Enfin, il réactualise le thème de l'argent, laissé en suspens depuis la scène 7 de l'acte III.

La Flèche : un valet de génie

Par son aspect spectaculaire, le vol de la cassette donne à La Flèche le beau rôle. En effet, le valet de Cléante, qui avait disparu après sa conversation avec Frosine dans la scène 4 de l'acte II, n'a pas perdu son temps : pendant que le fils et le père s'affrontaient sur la question de Mariane, le valet attendait son heure : « J'ai guigné ceci tout le jour » (scène 6, l. 9). Ce détail montre que le vol a été prémédité : il met en valeur le génie stratégique de La Flèche par opposition à la faiblesse de son maître. Du point de vue dramatique, il signale que, dans le mécanisme de la pièce, La Flèche est l'agent du dénouement. Enfin, du point de vue technique, le larcin contient un indice temporel : il situe cette scène en fin de journée, soulignant indirectement que Molière respecte la règle de l'unité de temps essentielle dans le théâtre classique.

Un monologue

Le monologue de l'avare (scène 7) s'oppose au dialogue, forme prédominante de la pièce. Par ce procédé, Molière suggère le caractère exceptionnel de la scène : pour la première fois, la parole d'Harpagon, détournée de sa fonction sociale, renvoie à l'émotion pure ; elle saisit la pensée à sa source, sous sa forme spontanée. Si, dans l'ensemble de la tirade, domine une ponctuation forte (points d'interrogation et d'exclamation) qui traduit l'état d'excitation dans lequel se trouve Harpagon, on note toutefois une évolution dans l'attitude mentale de la victime. Dans un premier temps (l. 1-19), Harpagon cède à la panique et au désespoir ; dans un second temps (l. 19-fin), il réagit et demande justice.

L'expression du désespoir prend chez lui une ampleur extraordinaire : la gradation (« au voleur ! à l'assassin »/« je suis perdu, je suis assassiné »/« je n'en puis plus, je me meurs »/« je suis mort, je suis enterré ») témoigne d'un esprit qui ne maîtrise plus la réalité. L'accumulation des interjections (l. 2-3) et des questions (l. 5-8), la symétrie des constructions (« où courir ? où ne pas courir ? N'est-il point là ? n'est-il point ici ? » (l. 7-8) figent le discours et renvoient l'image d'un homme en proie à une idée fixe.

La soif de justice se nourrit du mystère qui entoure ce vol : le coupable, désigné par des formes impersonnelles (« on »,

l. 4, 20, 22), interrogatives (« qui », l. 5, 19), ou indéfinies
(« personne », « qui que ce soit qui », l. 20), nourrit chez la victime un sentiment de persécution extrémiste qui laisse craindre
le pire pour son entourage : l'énumération (« à servantes, à
valets, à fils, à fille », l. 25), la double négation (« personne
qui ne me donne des soupçons », l. 26-27), enfin le pronom
indéfini collectif (« tout », l. 27) montrent que personne
n'échappe aux soupçons de la victime. Quant à l'évocation de
la torture (l. 24), de l'appareil judiciaire et de la mort, elle pro-
jette sur l'avenir une ombre inquiétante et témoigne, une fois
de plus, de la violence du personnage.

Le délire verbal, source de comique

On observe dans cette scène plusieurs catégories de comique.
– **L'absurde** : Harpagon se désigne lui-même comme son voleur
(l. 9-10).
– **Le burlesque** : dans son élan vengeur, il veut soumettre à
la torture toute la maison, y compris lui-même (l. 23-25).
– **La parodie** : l'argent est ici personnifié (« mon cher ami »,
l. 12). Harpagon l'évoque à travers des mots tendres (« sans
toi, il m'est impossible de vivre », l. 15-16), et des paroles
lyriques (l. 11-15) qui s'inscrivent en rupture non seulement
avec le contexte mais aussi avec le caractère du personnage.
– À ces procédés déjà utilisés dans les scènes précédentes,
s'ajoute **l'implication du public**, technique inédite emprun-
tée à l'*Aululaire* de Plaute qui inspire Molière dans cette scène :
les spectateurs, investis du rôle d'ennemis potentiels, alimentent la paranoïa du personnage (l. 25-26).

ACTE V

Harpagon a convoqué un commissaire de police : il veut que ce représentant de l'ordre fasse arrêter tous les habitants de la ville et des environs (scène 1).

Par esprit de vengeance, maître Jacques, le premier suspect interrogé, accuse Valère d'avoir volé la cassette (scène 2).

Lorsque l'intendant arrive, Harpagon le somme d'avouer son crime. Se croyant découvert, Valère met en avant ses bonnes intentions jusqu'au moment où l'avare comprend qu'une idylle s'est nouée entre Élise et Valère (scène 3).

Harpagon, au comble de la fureur, n'entend ni les supplications de sa fille, ni les appels au calme de Valère : il jure de faire enfermer Élise au couvent et veut faire pendre le coupable (scène 4).

L'arrivée du seigneur Anselme calme un peu les esprits. Cet aristocrate napolitain se révèle être don Thomas d'Albucy, le père de Valère et de Mariane, jadis laissés pour mort lors d'un naufrage. Grâce à sa générosité, les deux mariages (Valère/Élise et Mariane/Cléante) sont conclus et Harpagon, satisfait d'être déchargé par Anselme de tous les frais de la cérémonie, retrouve sa cassette avec grand bonheur (scène 5).

ACTE V, SCÈNES 1 ET 2

RÉSUMÉ

Le commissaire chargé d'enquêter sur le vol de la cassette se flatte de connaître son métier. Méthodique, il interroge en premier lieu la victime. Il note scrupuleusement que la cassette contenait la somme considérable de dix mille écus en monnaie d'or et apprend que personne n'échappe aux soupçons d'Harpagon. Mais tandis que l'avare préconise la manière forte pour arrêter le voleur, le commissaire recommande de procéder en douceur afin de ne pas effrayer les suspects. Selon lui, il faut rechercher des preuves avant toute chose **(scène 1)**.

Maître Jacques, en pleins préparatifs du repas de mariage, rencontre Harpagon accompagné du commissaire. Il prend ce dernier pour un convive. Mais le commissaire l'entreprend aussitôt sur le vol et, prêchant le faux pour savoir le vrai, lui demande de passer immédiatement aux aveux. Maître Jacques voit alors l'occasion rêvée de se venger de l'intendant : il accuse Valère en prenant soin de faire dire à l'avare tous les détails concernant le vol – le lieu, la forme et la couleur de la cassette. Ses révélations donnent entière satisfaction à Harpagon, ravi de tenir un coupable **(scène 2)**.

COMMENTAIRE

Parole à la justice : la satire du pouvoir policier

L'acte V débute avec l'entrée d'un nouveau personnage : le commissaire. Sa venue introduit un ton dogmatique qui donne à la scène 1 un caractère officiel. Par la répétition de la formule « Il faut » (l. 8, 23) et par ses questions sur la nature du vol, ce représentant de l'ordre pose sur l'événement un regard rationnel qui crée un effet de contraste avec l'outrance d'Harpagon (l. 14-15, l. 21-22). Toutefois, cette approche mesurée (« doucement », l. 24 ; « rigueur », l. 25) s'inscrit en faux contre l'image répressive de lui-même que le commissaire se plaît à souligner (l. 3-4).

Dans la scène 2, le commissaire confirme le double aspect de sa personnalité. Comme prévu, il se montre débonnaire : il rassure (« Ne vous épouvantez point », l. 12), il flatte (« mon cher ami », l. 16, 35 ; « honnête homme », l. 33), il protège (« ne le maltraitez point », l. 32), il promet (« vous serez récompensé », l. 37). Mais en même temps, il infiltre ses paroles de menaces : le futur (« il vous découvrira », l. 34 ; « il ne vous sera fait aucun mal », l. 36) et la construction conditionnelle (« si vous nous confessez la chose », l. 35-36), ainsi que la tournure impersonnelle sur double négation (« il n'est pas que vous ne sachiez », l. 38-39), détournent le discours de sa fonction communicative et en font un **redoutable moyen de pression**.

Cette violence détournée renvoie une image redoutable de la justice. Mais un second éclairage donne à voir les dangers d'une méthode qui s'attache plus à désigner un coupable qu'à vérifier la validité d'un témoignage. En effet, dans la deuxième partie de la scène (l. 50-fin), le commissaire s'inquiète à peine du caractère approximatif des révélations de maître Jacques : trop content de tenir un coupable, il abandonne ses prérogatives d'homme de loi et laisse au couple Harpagon-maître Jacques le soin d'établir des preuves.

Portrait d'un délateur : maître Jacques

Si la méthode du commissaire encourage la délation, maître Jacques ne se fait pas prier pour mettre en cause Valère. La jalousie du cuisinier se cristallise sur l'opportunité qui lui est offerte de se venger de l'intendant (*cf.* scène 2, acte III : « pour ce monsieur l'intendant, je m'en vengerai si je le puis », l. 41-42).

Au cours de cet épisode, les indices ne manquent pas cependant pour discréditer l'accusation : l'aparté (l. 41-45), l'expression « votre cher intendant » qui sent la rancœur, l'embarras de maître Jacques sommé d'avancer des preuves, l'absence de preuves sont objectivement autant de signes qui signalent la calomnie.

Mais l'impatience d'Harpagon sert ici l'accusation : si, dans un premier temps, il émet quelques doutes (l. 53-57), si sa foi en Valère l'engage même à demander des preuves (l. 58), il pervertit l'enquête en donnant lui-même au délateur les informations qu'il sollicite et en concluant à la culpabilité de l'intendant.

La calomnie : péripétie tragico-comique

On observe dans cette scène deux tendances contradictoires, caractéristiques du théâtre de Molière : **la gravité et la légèreté**. Le thème de la calomnie, tragique dans son essence, s'inscrit dans une réflexion générale engagée depuis la scène 1 de l'acte I, sur la vérité et le mensonge. Dans cette scène 2 de l'acte V, l'accusation lancée contre Valère relance le débat et consolide l'unité de la pièce. Mais, comme toujours, la pédagogie de Molière reste le rire.

La scène 2 s'engage sur deux **quiproquos** : maître Jacques donne des ordres à la cuisine pour qu'on prépare le cochon de lait destiné aux invités. La violence du vocabulaire (« égorge », « griller les pieds », « pende au plancher », l. 1-5) fait écho à la pensée d'Harpagon qui rêve d'étriper son voleur. D'où le premier quiproquo. Le même mécanisme opère dans un second quiproquo qui s'enchaîne immédiatement au premier, ne laissant aucun répit au spectateur : tout au souci de son dîner, maître Jacques prend le commissaire pour un invité et la confusion des personnes génère une série de contresens cocasses.

La seconde partie de la scène (l. 50-fin) exploite d'autres ficelles comiques :
– la **répétition** (« lui/lui-même », « je crois/le crois-tu », « je le crois/je le crois », « sur quoi/sur quoi ») doublée d'une **tautologie** (« je le crois... sur ce que je le crois », l. 61) ;
– la **parodie** de l'interrogatoire policier marquée par une inversion des rôles : maître Jacques pose les questions, recueille une à une les informations, puis les renvoie à Harpagon sous forme de confirmation. Les hésitations du délateur (points de suspension, reprise de la question, tautologie) associées au bluff (l. 82, 93) signalent, sur un mode comique, la perversion de l'enquête.

ACTE V, SCÈNE 3

RÉSUMÉ

Valère arrive sur scène. Harpagon le somme d'avouer son crime. Après avoir feint l'innocence, Valère passe aux aveux : il déclare avoir eu l'intention d'avouer « la chose » et demande à Harpagon d'écouter sa défense. Il explique alors que le crime n'est pas aussi grave qu'il le paraît et qu'il est prêt à réparer le mal accompli. Comme justification, il invoque l'amour, cite son attachement au trésor le plus précieux de l'avare, défend la noblesse de ses intentions. Harpagon, qui pense à sa cassette, est sûr de tenir son voleur. Il est fermement décidé à mettre l'affaire entre les mains de la justice. Face à cette menace, Valère supplie qu'Élise soit épargnée. Il veut assumer seul la responsabilité du « crime ». Harpagon, cependant, est sûr que sa fille ne peut être impliquée dans son affaire de vol et il enchaîne sur ce qui est pour lui le plus important : il veut savoir où est son trésor. Valère assure à l'avare que « son bien » n'a pas été profané : sa passion est restée dans les limites du respect et de la bienséance. Pour appuyer ses dires, il explique qu'Élise et lui se sont fiancés. Harpagon comprend alors qu'une idylle s'est nouée entre sa fille et son intendant. Au comble de la rage, il demande au commissaire d'enregistrer sa plainte contre Valère sous la double inculpation de vol et de séduction.

COMMENTAIRE

L'unité d'action en péril

Au début de la pièce, deux motifs se disputent l'unité d'action : les amours de Valère et Élise qui occupent les scènes 1 et 5 de l'acte I, et les amours de Cléante et Mariane évoqués dès la scène 2 du même acte. C'est autour de ce second motif, nourri par la rivalité Cléante/Harpagon, que se construit l'intrigue jusqu'à la fin de l'acte III. Or, à l'approche du dénouement, on assiste à une résurgence du premier motif. Deux raisons essentielles peuvent expliquer ce retour :

– sur le plan de la **cohérence dramatique**, il est impossible à Molière de laisser sans réponse la question du couple Valère/Élise ;

– sur le plan de la **cohérence thématique**, la problématique du mensonge – essentiellement traitée à travers le personnage de Valère – doit trouver une solution conforme à l'orientation morale de la comédie.

À quelques scènes de la fin de la pièce, le spectateur se demande donc comment Molière va réussir la prouesse technique de dénouer les deux intrigues parallèles.

Un quiproquo à rebondissement

Cette scène est entièrement construite sur un quiproquo. Ce procédé comique reproduit le mécanisme analysé dans les scènes précédentes, avec une variante essentielle : constamment nourri d'interprétations erronées, il rebondit sans cesse pour ne se résoudre qu'à quelques répliques de la fin (l. 135).

Il se construit sur des contresens qui affectent certains mots et certaines phrases

1. Des contresens sur les mots :

– Dans les répliques d'Harpagon, le vol et l'argent sont désignés à travers des métaphores et des périphrases polysémiques : **le vol :** « l'action la plus noire, l'attentat le plus horrible » (l. 1-2), « ton crime/ce crime » (l. 5, 94), « l'affaire » (l. 10), « tout » (l. 11), « un tour de cette nature » (l. 13-14), « un guet-apens, un assassinat » (l. 29-30), « ce que tu m'as ravi »(l. 41), « cette action » (l.45), « le vol » (l.60) ; **l'argent :** « mon sang, mes entrailles » (l.35).

– Dans les répliques de Valère, le pronom indéfini « tout » (l. 15) et le nom « la chose » (l. 17) au sens incertain nourrissent l'équivoque sur la nature du crime.

Mais c'est autour du mot « trésor » que s'articule la deuxième phase du quiproquo. En effet, Harpagon utilise ce mot dans son sens propre qui désigne la cassette (l. 62) tandis que Valère l'utilise dans son sens métaphorique en parlant d'Élise (l. 67). Plus loin, les mots « enlevée » (l. 96), « touché » (l. 103), « brûlé (l. 106) qui s'appliquent pour Harpagon à la cassette et pour Valère à sa bien-aimée, assurent le développement de la méprise.

2. Des contresens sur les phrases : l'accusation d'Harpagon : « s'introduire exprès chez moi pour me trahir » (l. 13) prête à confusion car elle contient une partie de vérité. Cette phrase joue un rôle moteur dans la scène car c'est elle qui déclenche les aveux de Valère.

Les aveux de Valère

Le langage respectif de Valère et d'Harpagon met en évidence la rupture entre les deux personnages : si, dans l'ensemble de l'acte III, l'intendant calque son discours sur celui de son maître, on observe ici un écart significatif à la fois dans le ton et dans l'expression.

L'intendant servile, le cynique défenseur du mensonge laisse place à un honnête homme qui surprend par la mesure de ses propos et par le sang-froid qu'il sait garder face à la vulgarité des insultes que profère Harpagon. Son vocabulaire moral (« une offense », l. 27 ; « ma faute », l. 28 ; « le mal »,l. 32), la noblesse de ses sentiments (un amour désintéressé) et de ses intentions (le mariage), son respect pour Élise (l. 104-115) font apparaître un homme d'honneur, tandis que le lyrisme des expressions galantes renvoie l'image d'un amoureux passionné qui est l'antithèse d'un séducteur.

Cette métamorphose de Valère qui s'opère sous les yeux du spectateur obéit à un **principe dramatique de simplification** : à l'approche du dénouement, tous les nœuds de l'action doivent être déliés, et cette scène d'aveu renvoie directement à la première scène d'exposition (scène 1, acte I) qui pose le premier jalon de l'intrigue avec les fiançailles secrètes de Valère et d'Élise. Cependant, le voile n'est pas levé sur la véritable identité de l'intendant car Harpagon est resté sourd à une information capitale : « Je suis d'une condition à ne lui point faire de tort » (l. 37-38), « quand on saura qui je suis... » (l. 147). L'imposture donc n'est qu'à moitié levée.

ACTE V, SCÈNE 4

RÉSUMÉ

La fureur d'Harpagon n'a plus de bornes : il accable Élise de violents reproches et lui promet le couvent. Quant à Valère, il veut le faire pendre ou, mieux encore, supplicier comme un vulgaire voleur de grand chemin.

Face à ces menaces, Élise implore son père : elle lui demande d'apaiser sa colère, tente de lui expliquer que Valère n'est pas un domestique. Elle mentionne un naufrage où elle a failli périr et souligne le courage de Valère qui lui a sauvé la vie. Mais Harpagon estime que cet acte d'héroïsme ne compte pas au regard de ce qu'il a osé faire. Élise en appelle alors à l'amour paternel sans davantage réussir à faire fléchir son père. Témoins de la scène, maître Jacques se réjouit tout bas du sort que l'on réserve à Valère tandis que Frosine s'inquiète de la tournure des événements.

COMMENTAIRE

Une scène fonctionnelle

Du **point de vue scénique**, l'arrivée d'Élise, accompagnée de Mariane et de Frosine, procède du regroupement des personnages avant la scène finale qui doit réunir tous les acteurs.

Sur le **plan dramatique**, le retour de la jeune fille permet à Molière d'entretenir la colère d'Harpagon et de suspendre ainsi le dénouement.

Sur le **plan thématique**, le face-à-face père-fille a une double fonction : d'une part, il propose une diversion au vol de la cassette, thème dominant de l'acte V ; d'autre part, il donne à Molière l'occasion de compléter le portrait d'Harpagon dans son rôle de père.

La relation père-fille

À travers cette scène, la relation Élise-Harpagon apparaît comme une variante de la relation Cléante-Harpagon : même approche répressive, même exigence de respect (« un père comme moi », l. 1 ; « sans mon consentement », l. 4-5), même

82

résistance à l'amour (« non, non, je ne veux rien entendre », l. 33). Ici, toutefois, Molière pousse la démonstration très loin : la réplique : « Tout cela n'est rien, et il valait bien mieux pour moi qu'il te laissât noyer que de faire ce qu'il a fait » (l. 28-30) met en avant la cruauté d'un père pour qui la vie d'un enfant compte moins que l'obéissance.

Élise : force et fragilité

En dépit de la terreur que lui inspire son père (*cf.* scène 1 de l'acte I), Élise a su s'opposer avec détermination à son mariage avec le seigneur Anselme (dernière partie de la scène 5, acte I). Solidaire de Cléante, elle a également fait preuve de fermeté face à Frosine, l'instigatrice du mariage d'Harpagon avec Mariane (acte IV, scène 1). Le double aspect de sa personnalité, tantôt faible tantôt énergique, apparaît dans cette scène. En effet, si ses défenses paraissent s'effondrer, si son attitude suppliante illustre le rapport de dominée à dominant auquel la soumet le pouvoir paternel, le discours de la jeune fille, malgré les apparences, reste offensif et l'argumentation, dans la première partie de sa longue tirade (l. 14-21), est chargée d'implicite provocateur :
– le choix de l'impératif (« prenez », l. 2, « allez », « laissez ») est la marque d'une forte conviction ;
– chacune des deux phrases : « prenez des sentiments un peu plus humains « et « prenez la peine de mieux voir » contient un jugement négatif (vos sentiments ne sont pas humains/vous ne prenez pas la peine de voir) ;
– la forme négative : « n'allez point », « ne vous laissez point » frappe d'interdit la conduite paternelle ;
– l'opposition : « les dernières violences du pouvoir paternel »/« premiers mouvements de votre passion » souligne l'extrémisme d'Harpagon.

Les arguments d'appel à la raison se doublent, dans la seconde partie de la tirade, d'un appel aux sentiments (mention de l'héroïsme de Valère, référence à l'amour paternel). Cette approche moralisatrice révèle chez Élise une maturité inattendue ; elle souligne, par antithèse, la « passion » (l. 9,18), la démesure et l'aveuglement d'un Harpagon plus buté que jamais.

ACTE V, SCÈNE 5

RÉSUMÉ

Arrivé sur les lieux, le seigneur Anselme s'inquiète de l'agitation d'Harpagon. L'avare lui explique qu'il vient d'être victime à la fois d'un vol et d'une imposture. Il demande au vieux prétendant d'Élise de porter plainte contre Valère et insiste pour que le commissaire charge au maximum le coupable. Le jeune homme réfute ces accusations et déclare que son rang le place au-dessus de tout soupçon. Tandis qu'Harpagon se moque des faux nobles qui peuplent la société de son temps, Valère explique qu'il est le fils de dom Thomas d'Alburcy, un des hommes les plus connus de Naples. Le seigneur Anselme, également originaire de cette ville, connaît bien l'histoire de ce gentilhomme mort en mer seize ans auparavant, sur le chemin de l'exil, avec sa femme et ses enfants. Il contredit la version de Valère.

Mais le jeune homme explique que le fils de dom Thomas d'Alburcy, alors âgé de sept ans, a été sauvé du naufrage par un capitaine espagnol et qu'une fois devenu grand, il est parti à la recherche de son père présumé vivant. C'est alors qu'il a rencontré Élise dont il est tombé amoureux et qu'il s'est présenté à Harpagon sous une fausse identité.

À l'appui de ses dires, Valère mentionne les bijoux que portaient ses parents et le nom du domestique qui l'accompagnait lors de la catastrophe. À ce moment, Mariane reconnaît en Valère son frère. Elle raconte que sa mère et elle ont également échappé au naufrage et qu'après une série de mésaventures, elles sont arrivées à Paris. À ces mots, Anselme ne contient plus son émotion : il serre dans ses bras Valère et Mariane qui ne sont autres que ses propres enfants. Son récit vient alors compléter celui des deux jeunes gens : Anselme – alias Thomas d'Alburcy – explique qu'après seize ans de solitude, il songeait à refaire sa vie en épousant Élise. Harpagon demande immédiatement au gentilhomme le remboursement de ses dix mille écus tandis que Valère comprend que maître Jacques est à l'origine des ses ennuis.

Un triple coup de théâtre

Cette scène est construite sur trois coups de théâtre successifs qui ont pour objet, respectivement, l'identité de Valère, celle de Mariane et celle du seigneur Anselme. Les révélations de ces trois personnages aboutissent à un regroupement familial et créent une situation nouvelle qui va fournir à Molière les clés du dénouement.

Le premier coup de théâtre porte sur l'identité de Valère. Mais la révélation du jeune homme a une porté limitée. En effet, il a déjà évoqué à plusieurs reprises ses origines nobles (scène 1 de l'exposition, l. 77-81 ; puis scène 3 de l'acte V, l. 37-38, l. 147). De plus, son héroïsme (il a sauvé la vie d'Élise) ainsi que sa supériorité intellectuelle et la noblesse de ses sentiments amoureux tout au long du texte signalent son déclassement sur un mode implicite, et constituent autant d'indices infiltrés dans la trame de la pièce.

Les deuxième et troisième coups de théâtre ne font l'objet d'aucune annonce : les révélations regardant l'identité véritable de Mariane d'une part, d'Anselme d'autre part, s'accompagnent d'un effet de surprise d'autant plus fort que ces deux personnages correspondaient à des types sans mystère (la jeune fille pauvre, le vieillard fortuné désireux d'épouser une jeune personne).

La technique des retrouvailles

La technique des retrouvailles adoptée par Molière dans cette scène répond à des conventions qui remontent au théâtre latin. Manœuvre habile pour résoudre des situations dramatiques sans issue, elle permet de satisfaire – sur un mode quelque peu artificiel – la **règle de l'unité d'action** en faisant converger vers un lieu unique les voies détournées de l'intrigue. Ainsi la réunification de la famille d'Alburcy signifie-t-elle, sur le plan de l'action, la fusion des deux intrigues inscrites dans la pièce : les deux mariages en suspens vont nécessairement être reconsidérés à la lumière des nouvelles données dramatiques.

Le procédé des retrouvailles, cependant, n'est pas ici aussi artificiel qu'il le paraît. En effet, il est rendu crédible par les références historiques qui sous-tendent le récit des trois naufragés. De plus, sur le plan thématique, la dualité de Valère, d'Anselme et de Mariane s'intègre parfaitement à la problématique du masque chez Molière. En effet, si le **thème de la double identité** est une technique dramatique fréquemment utilisée dans la comédie, s'il alimente le comique par le biais – notamment – du déguisement et du quiproquo, il permet de nourrir dans le théâtre de Molière une interrogation permanente sur le mystère des êtres.

Une scène romanesque

Dans cette scène à rebondissements, le comique, déjà fortement compromis depuis le début de l'acte V, cède la place au pathétique. Le récit en trois temps que développent tour à tour les membres dispersés de la famille d'Alburcy, constitue un puzzle dont les morceaux se complètent au fur et à mesure des prises de parole pour composer un motif romanesque.

Les aventures des trois personnages empruntent au **baroque** leur extravagance. L'histoire reconstituée du groupe familial contient des thèmes dignes de la **tragi-comédie**. En effet, à partir d'une situation de départ identique (l'exil, le naufrage), les destinées individuelles se démarquent les unes des autres en s'inspirant des lieux communs du **romanesque**. Valère est sauvé ; l'adoption, la quête du père et la rencontre amoureuse marquent son itinéraire. Mariane et sa mère sont recueillies par des corsaires ; leur parcours inclut l'esclavage, le retour, la ruine et la pauvreté. Enfin, si Anselme parvient à sauver à la fois sa vie et sa fortune, son existence est détruite par l'anéantissement de sa famille, la solitude et le désespoir.

Ces motifs, qui introduisent une rupture dans la tonalité de la comédie, ne sont pourtant pas totalement en décalage avec le reste de la pièce. En effet, le thème du naufrage est très tôt infiltré dans la pièce : Élise et Valère évoquent leur rencontre romanesque lors d'un naufrage dès la scène 1 de l'acte I (l. 51-62), et dans la scène 4 de l'acte V (l. 24-27).

Le seigneur Anselme

La question du mariage d'Élise avec le seigneur Anselme est abordée dès la scène 4 de l'acte I : elle fait partie des données de l'exposition. Décrit par Harpagon comme « un homme mûr, prudent et sage qui n'a pas plus de cinquante ans, et dont on vante les grands biens » (l. 173-175), « c'est un parti considérable, c'est un gentilhomme qui est noble, doux, posé, sage et fort accommodé » (acte I, scène 5). Or, l'entrée sur scène de ce personnage s'accompagne pour le spectateur d'un effet de surprise. En effet, si son refus d'épouser Élise contre sa volonté montre sa noblesse de caractère, si la qualité de son écoute (l. 51-52) révèle sa modération, ses répliques à l'impératif (« prenez garde », l. 39 ; « cherchez », l. 57 ; « ne prétendez pas », l. 59 ; « apprenez », l. 74, 77), et ses mises en garde sévères (« tout beau », l. 39 ; « quoi ! vous osez », l. 63 ; « l'audace est merveilleuse », l. 67) révèlent un homme autoritaire et sûr de lui.

Pourtant, en fin de compte, le portrait qu'a brossé Harpagon de ce personnage se révèle fidèle à la réalité et met en regard deux figures de pères totalement opposées. Dans la deuxième partie de la scène (l. 117-fin), Anselme se montre un homme de sentiment ; l'amour qu'il témoigne à ses enfants retrouvés contraste avec l'insensibilité d'Harpagon dont les préoccupations matérialistes jurent avec le bonheur général (« je vous prends à partie pour me payer dix mille écus qu'il m'a volés », l. 137-138). Cette opposition révèle que dans cette scène, le personnage du seigneur Anselme a une fonction non seulement dramatique mais aussi idéologique : incarnant une figure idéale de père, il sert d'**antithèse** au personnage d'Harpagon.

ACTE V, SCÈNE 6

RÉSUMÉ

Arrivé sur les lieux, Cléante rassure son père et lui annonce qu'il pourra récupérer son argent s'il renonce à Mariane. Harpagon ne s'inquiète que de savoir où est sa cassette et si la somme est intacte. Sur ces entrefaites, Mariane apprend à Cléante qu'elle a retrouvé sa famille. Le seigneur Anselme, décidé à faire le bonheur de ses enfants, fait pression sur l'avare pour favoriser les mariages des jeunes gens ; Harpagon accepte, à condition de se décharger sur Anselme de tous les frais, y compris des honoraires du commissaire.

Quant à maître Jacques, Harpagon veut le remettre entre les mains de la justice, en dépit de ses protestations. Mais le seigneur Anselme intercède en sa faveur avant de se rendre, avec ses enfants, chez son épouse, laissant Harpagon tout à la joie de revoir sa chère cassette.

COMMENTAIRE

Tout le monde en scène

Depuis le début de l'acte V, Molière introduit les individus et les groupes de façon progressive, en prévision de la dernière séquence qui, selon la loi du genre théâtral, doit réunir sur scène les principaux personnages. L'arrivée de Cléante flanqué de son valet La Flèche correspond donc à une nécessité technique. Mais elle présente également une importance dramatique. En effet, Cléante est l'agent véritable du dénouement car c'est lui qui, par son marchandage (Mariane contre la cassette), fait capituler Harpagon. Dans un deuxième temps, Anselme joue le rôle de relais : par un appel à la raison (« Allons, ne vous faites point dire ce qu'il n'est pas nécessaire d'entendre et consentez ainsi que moi à ce double hyménée », l. 25-27) mais surtout par sa générosité, il vient à bout des résistances de l'avare et donne ainsi une conclusion à l'intrigue.

Quant aux autres personnages, n'étant plus indispensables à l'action, ils se transforment en simples témoins : prise de vitesse par La Flèche, Frosine n'a pas eu besoin d'user de son stratagème pour venir au secours du couple Valère-Mariane. Après le vol de la cassette, sa fonction devient accessoire.

De même, La Flèche, une fois son forfait commis, a délégué à Cléante le soin d'exploiter son geste. D'où son retrait dans cette scène. Enfin la présence du commissaire ne se justifie plus puisque le coupable présumé (Valère) a été lavé de tout soupçon.

Un dénouement en forme de *happy end*

Comme dans toute comédie, la pièce se termine sur une note heureuse. La situation de départ, telle qu'elle apparaît dans l'exposition, a évolué de telle façon que tous les problèmes ont trouvé une solution : les couples interdits (Valère/Élise, Cléante/Mariane) sont autorisés, la jeunesse l'emporte sur la vieillesse et l'amour sur l'intérêt. La rivalité Cléante/Harpagon se solde par une victoire du fils sur le père

En outre, l'imposture (Valère), le vol (Cléante), la calomnie (maître Jacques) ne sont pas sanctionnés. À la fin de la pièce, ces fautes morales, dédramatisées, apparaissent comme de simples procédés dont la fonction est de servir la comédie.

Pourtant, dans ce monde idéal que Molière met en place *in extremis*, deux problèmes restent sans solution : l'avarice et le mensonge, deux thèmes dont le comique, tout au long de la pièce, n'a pas épuisé la gravité : Harpagon n'a pas évolué ; sa situation a changé mais non son caractère. Le vice, chez lui, est indéracinable.

La problématique du mensonge reste également ouverte : l'interrogation de maître Jacques (« Hélas ! comment faut-il donc faire ? On me donne des coups de bâton pour dire vrai, et on me veut pendre pour mentir », l.49-51) ne délivre pas de réponse. Si le paradoxe fait rire, il met en avant la liberté du spectateur invité à trancher sur la question. À travers ce détail, le moralisme de Molière montre ses limites et la comédie, supposée corriger les vices des hommes, reconnaît qu'elle ne remplit pas vraiment sa mission.

Synthèse littéraire

LES SOURCES DE MOLIÈRE

Pour Molière, désigné par Ménage (un critique de l'époque) comme « le grand picoreur », l'emprunt est une des voies de l'inspiration. Sans jamais être servile, il réutilise des canevas, des motifs ou des personnages appartenant à la tradition de la comédie.

L'Aululaire

Cette technique est vraie aussi pour *L'Avare*, comédie directement inspirée de *L'Aululaire* du poète latin Plaute. Dans cette comédie, l'avare a pour nom Euclion. C'est un pauvre hère qui découvre une marmite pleine d'or dans sa cheminée. Trésor jadis caché par son grand-père, cet argent ne lui laisse plus de répit. La possession le rend méfiant et obsessionnel : il morigène sa servante, il fouille l'esclave Strobile, il soupçonne même son riche voisin Mégadore qui vient lui demander – sans dot – la main de sa fille Phédra. Euclion abandonne constamment ses interlocuteurs pour vérifier que sa marmite est bien en place jusqu'au moment où il s'aperçoit qu'elle a été volée. Cet événement déclenche chez lui une violente crise de désespoir. Survient alors Lyconide, le neveu de Mégadore, qu'il accuse du forfait. Le jeune homme qui s'apprêtait à enlever Phédra se déclare coupable sans préciser de quel crime. Le trésor et la jeune fille nourrissent alors un long quiproquo jusqu'au moment où Strobile informe le prétendant du vol.

Aussitôt, le jeune homme veut rendre la marmite à l'avare. Le texte de Plaute s'arrête ici, mais il existe un dénouement ajouté au XVe siècle où l'on voit Lyconide épouser sa bien-aimée après avoir rendu son trésor à Euclion.

De nombreux détails sont empruntés à cette source :
– la méfiance d'Harpagon à l'égard de La Flèche (I, 3) ;
– le thème du « sans dot » (I, 5) ;
– la collation offerte à Mariane (III) ;
– le vol du trésor (IV, 6) ;
– le monologue désespéré de l'avare (IV, 7) ;
– le quiproquo dans la scène des aveux de Valère (III, 3).

La Belle Plaideuse

La seconde source de Molière est *La Belle Plaideuse*, une comédie de Boisrobert (1592-1662) où l'on trouve :
– le motif du fils obligé d'emprunter de l'argent à un taux d'usure exorbitant ;
– la scène de démystification où père et fils se reconnaissent comme prêteur et emprunteur.

L'art d'assembler différentes sources

Le critique Riccoboni cite d'autres sources et conclut qu'« on ne trouvera pas dans toute la comédie de *L'Avare* quatre scènes qui soient inventées de Molière » (*Observations sur la comédie et le génie de Molière*, 1736). Toutefois, il convient de remarquer que Molière emprunte davantage à une tradition littéraire ou dramatique qu'à des auteurs et que, dans le cas de *L'Avare*, l'art du dramaturge consiste à organiser en un système cohérent et à personnaliser un ensemble d'éléments disparates.

CRÉATION ET REPRÉSENTATION
DE *L'AVARE*

Les conditions de création de la pièce

1668 : le 13 janvier, Molière présente *Amphitryon* au théâtre du Palais-Royal. La pièce est jouée avec succès pendant toute la première partie de l'année. Parallèlement il travaille sur *L'Avare* mais doit s'interrompre pour satisfaire une commande du roi qui désire célébrer le traité d'Aix-la-Chapelle par des festivités à Versailles. Écrit pour la circonstance, *Georges Dandin* est présenté en juillet. Il ne reste plus alors à Molière que quelques semaines pour terminer *L'Avare* qui doit absolument être prêt pour le début de la saison théâtrale, en septembre. Les critiques attribuent traditionnellement à cette hâte le choix de la prose de préférence au vers.

Les premières représentations

9 septembre 1668 : première représentation de *L'Avare* au théâtre du Palais-Royal. Molière joue le rôle d'Harpagon. D'après le registre de La Grange, la première représentation fait une bonne recette, mais le public se fait plus rare aux représentations suivantes. Après neuf représentations données jusqu'au 7 octobre, Molière retire la pièce de l'affiche. Cet échec peut avoir plusieurs explications : le public fut dérouté par la prose, ou bien, comme le note Robinet – un critique de l'époque – l'intrigue parut extravagante et composite.

Cependant, la pièce est reprise régulièrement jusqu'en 1672 et obtient un succès grandissant. Elle reste une des comédies les plus représentées à la Comédie-Française.

ANALYSE DE LA PIÈCE

Une pièce en prose

En choisissant la prose, Molière prend le contre-pied de la tradition, ce qui explique en partie la déroute du public. Ce choix fut peut-être imposé à l'auteur par les délais de création de la pièce. Mais Voltaire révèle dans son *Dictionnaire philosophique* (« Art dramatique », XXVII) que Molière fut dissuadé par ses comédiens de transformer la prose en vers : le texte non versifié passait très bien sur la scène.

Les critiques, toutefois, ne sont pas d'accord sur la valeur de cette prose : si Boileau la trouve « plus régulière et plus châtiée » que les vers, le critique Sarcey, dans sa gazette *Le Temps* (13 octobre 1873), la trouve imparfaite : « Les phrases n'ont pas le mouvement scénique ; elles sont difficiles à dire pour l'acteur, et il y en a dont je les vois toujours, quel que soit leur talent de diction, se démêler malaisément ». On remarquera toutefois que, du fait de la prose, les dialogues sont beaucoup plus rapides et que dans certaines scènes (ex : Harpagon, La Flèche, I, 3), les échanges, par leur rythme endiablé, rappellent ceux de la *commedia dell'arte*.

Une action controversée

L'action présente certains traits qui alimentent la critique depuis des siècles.

1. Une double intrigue. L'unité d'action n'est pas respectée : deux intrigues sont nouées dans les scènes 1 et 2 de l'acte I où l'on annonce que les couples Valère/Élise et Cléante/Mariane vont jouer leur existence au cours de la pièce. Pour conjurer cette dualité, Molière concentre l'action sur la rivalité Cléante/Harpagon, abandonnant jusqu'à l'acte V les amours d'Élise et de Valère mais, de ce fait, il laisse le spectateur dans une attente trop longue qui tue le suspense. Il existe donc bel et bien un déséquilibre entre l'annonce et le traitement de l'intrigue.

2. Une tonalité jugée trop sentimentale. Le caractère sentimental des deux premières scènes d'exposition jure avec l'esprit de la comédie et compromet l'unité de ton : certains metteurs en scène prendront même la liberté de supprimer purement et simplement ces deux scènes et commenceront la pièce avec l'entrée d'Harpagon.

3. Frosine : un rôle escamoté. Dans un premier temps, Frosine apparaît comme un des agents essentiels de l'action. Or, Molière n'assure pas dans la pièce le suivi de sa fonction. En effet, le plan qu'élabore l'intrigante pour sauver le couple Mariane/Cléante (IV, 1) tombe à plat. Cette piste non exploitée contribue au déséquilibre de l'action et explique que cette scène ait également été supprimée dans certaines misesen scène.

4. Un dénouement postiche. La pièce se termine sur une scène de reconnaissance qui, pour être parfaitement invraisemblable, n'en satisfait pas moins la nécessité d'un *happy end* dans la comédie. On a beaucoup reproché à Molière le romanesque de ce dénouement, jugé déplacé par rapport à l'esprit de la pièce. Il faut remarquer toutefois que ce choix s'inscrit dans la tradition du théâtre latin et de la *commedia dell'arte*. En outre, loin d'être plaqué *in extremis* dans la pièce, le romanesque est très tôt infiltré : dès les premières répliques (I,1), le spectateur apprend que Valère et Élise se sont rencontrés dans des circonstances extraordinaires (un naufrage). Le thème du déguisement, le personnage de Mariane (jeune fille pauvre vivant avec une mère adorée) appartiennent également à la panoplie du romanesque. Peut-être hérités du baroque, ces traits montrent chez Molière une tendance sentimentale à travers laquelle sa comédie quitte le terrain purement dramatique pour empiéter sur celui du roman.

LES PERSONNAGES :
FONCTION THÉMATIQUE ET DRAMATIQUE

Harpagon

Son personnage alimente plusieurs thèmes – l'amour et le mariage, l'autorité paternelle, la relation maître/valet –, tous subordonnés au **thème dominant de l'avarice**.

Type littéraire sans mystère, l'avare prend chez Molière une complexité nouvelle : en effet, on retrouve chez Harpagon la passion de l'argent sous ses aspects les plus ridicules et les plus maladifs (thésaurisation, obsession, violence). Mais Molière rénove cette figure traditionnelle de la littérature et du théâtre en l'amalgamant au **type du vieillard amoureux**. Il réalise l'unité du personnage en associant la problématique de l'amour à celle de l'avarice : dans sa pièce, Harpagon n'est pas, comme on aurait pu s'y attendre, un être déchiré entre deux passions. Sa relation avec Mariane est fondée sur des calculs. En effet, il compte s'approprier non seulement la dot hypothétique de la jeune fille mais également, et surtout, sa jeunesse. Le sentiment, comme on le voit, n'est pour rien dans son projet.

Dans son **rôle de père**, Harpagon affiche la même sécheresse de cœur : la revendication du personnage est essentiellement d'ordre fonctionnel : il ne veut pas être aimé de ses enfants mais respecté et ne retient de la paternité que le pouvoir. Les relations qu'il entretient avec Cléante et Élise (I, 4 ; II, 2 ; III, 7 ; IV, 3, 4 ; V, 4) s'inscrivent dans un rapport de force dont, tout compte fait, il sort perdant. Le dénouement, pour artificiel qu'il soit, signe l'échec d'une paternité bornée et terroriste par opposition à la paternité généreuse d'Anselme, et donne raison à la jeunesse contre les abus du droit.

Dans son **rôle de maître**, Harpagon affiche également un tempérament dictatorial. Mais les scènes avec La Flèche (I, 3) et avec maître Jacques (III, 1 ; V, 2) ont une portée moins morale que comique. Si elles mettent en scène de façon plus triviale l'avarice et la toute-puissance du maître, elles nourrissent le comique de farce dans la plus pure tradition du genre.

Ainsi, dans ses fonctions d'avare, d'amoureux, de père et de maître, Harpagon développe des problématiques chères à Molière. En même temps, ce personnage porte la pièce à lui tout seul : son projet de mariage est à l'origine de toutes les péripéties qui jalonnent l'action. Enfin, sur le plan technique, il est le moteur comique de la pièce : la satire et la farce se nourrissent de son caractère, de ses attitudes et de son langage.

Cléante

Ce personnage participe aux **thèmes de l'amour, de l'argent, du rapport père-fils**. Dans ses trois fonctions (l'amoureux, l'emprunteur, le fils), Cléante affiche un trait de caractère essentiel, **l'impulsivité**, qui génère trois attitudes : la passion, l'âpreté, l'irrespect. Si Cléante éprouve pour Mariane un amour plein de jeunesse et d'enthousiasme, il révèle, à travers ses autres fonctions, une réelle parenté avec Harpagon ; ses besoins d'argent renvoient l'image d'un jeune homme dépensier, avide de jouir des plaisirs de la vie. Mais ses procédés (l'emprunt à usure) révèlent une absence de scrupules qui font directement référence à Harpagon. L'effronterie du fils renvoie également à l'arrogance du père et la rivalité amoureuse autour de laquelle s'affrontent violemment ces deux personnages ne fait que mettre en évidence une opposition de fond qui va au-delà du simple conflit des générations : Cléante est peut-être la version encore immature d'Harpagon.

Sur le plan technique, les scènes où s'opposent le père et le fils alimentent le suspense de la pièce et assurent la progression dramatique jusqu'au dénouement.

Valère

Son personnage se rattache aux **thèmes de l'amour et du mensonge**. Son double emploi (l'amoureux, le faux intendant) génère une image contrastée : par son langage et ses attitudes, l'amoureux est conventionnel, conforme au type galant de l'époque. En revanche, le personnage est nettement plus individualisé dans sa fonction sociale : le mystère de ses origines crée un intérêt sur sa véritable identité tandis que la hardiesse de ses procédés (le déguisement) lui donne de l'épaisseur. L'imposture et la flatterie, justifiées par des arguments cyniques et pratiquées avec un art consommé de la mystification, rattachent ce personnage à la **lignée des tartuffes**. Cependant, son rôle est quelque peu tronqué en raison du déséquilibre de l'intrigue : mis sur le devant de la scène dès le début de la pièce (I, 1), Valère ne réapparaît que dans deux scènes clés : celle du dîner (III, 1) dans laquelle il cultive son image de flatteur, et celle du quiproquo (V, 3) où il est confondu. Si, avec Frosine et maître Jacques, il alimente la problématique mensonge/vérité, sa fonction dramatique reste plus théorique que réelle.

Élise et Mariane

Ces deux figures de jeunes filles répondent à des **stéréotypes**. Seul l'amour leur donne de la personnalité : devant la perspective d'un mariage avec le vieil Anselme, Élise résiste avec vaillance et ose s'opposer à son père en dépit de la terreur qu'il lui inspire (I, 5). Quant à Mariane, dont la volonté est anéantie par le respect filial, elle se régénère en présence de Cléante : son duo d'amour dans l'acte III (scène 7) montre que ce personnage possède des ressources insoupçonnées. Sur le plan technique, Mariane ouvre la pièce au jeu, variante aimable de l'imposture.

Dans leur emploi, Élise et Mariane lancent une réflexion sur l'éducation des jeunes filles livrées sans défense à la volonté de leurs parents. Si ces deux personnages n'assurent aucune fonction dramatique directe, ils sont l'enjeu de deux mariages et permettent à Molière, à travers les deux trios Élise/Valère/Anselme et Mariane/Cléante/Harpagon, de développer la **problématique du mariage**.

Frosine

Elle répond au **type de l'entremetteuse** et pose le problème du mensonge sous sa version la plus vulgaire : la flatterie. À l'inverse de Valère qui pratique l'imposture à des fins honorables (l'amour), Frosine exploite la vanité d'Harpagon par pur appât du gain. Du point de vue de la méthode, l'adresse machiavélique de l'un s'oppose à la dialectique grossière de l'autre. Toutefois, le personnage a une fonction comique de première importance : sa conversation avec La Flèche (II, 4) et sa tractation avec Harpagon (II, 5) constituent un intermède drôle qui permet à la comédie de se réinstaller après l'une des scènes les plus dures de la pièce (la rencontre de Cléante et d'Harpagon dans leur rôle d'emprunteur et de prêteur). Malheureusement, ce personnage, comme celui de Valère, voit sa fonction tronquée au cours de l'action : le vol de la cassette rend inutile le plan élaboré par Frosine pour sauver le couple Cléante/Mariane (IV, 2).

Maître Jacques et La Flèche

Ces deux figures de domestiques entretiennent la **relation maître/valet** dans la plus pure tradition de la comédie : maître Jacques et La Flèche sont attachés à leurs maîtres. Ignorants et pleins de bon sens à la fois, ils sont l'un et l'autre un peu fripouilles. On remarquera toutefois que la calomnie à laquelle se laisse aller maître Jacques exclut ce personnage du stéréotype et en fait une figure de délateur plus moderne et plus inquiétante.

Chacun d'eux occupe une fonction dramatique de première importance. D'abord, ils fournissent à Molière des supports au **comique de farce** : les duos qu'ils forment avec Harpagon permettent tous les degrés d'un rire facile, fondé sur la cocasserie du geste ou de la parole. En second lieu, ils actionnent la machine dramatique : par le vol de la cassette, La Flèche s'inscrit comme l'agent direct du dénouement ; en dénonçant Valère, maître Jacques ajoute une péripétie à l'action.

COMIQUE ET MORALITÉ DE *L'AVARE*

L'Avare verse un nouveau chapitre au débat sur la valeur morale de la comédie.

Le public adore la variété comique de la pièce car tous les degrés du rire y sont représentés : **la bouffonnerie, la cocasserie, la parodie, la satire** se nourrissent tour à tour du vice d'Harpagon et des relations difficiles que l'avare entretient avec son entourage. Cependant, les spectateurs ont du mal à voir dans cette pièce une pure distraction : farce, comédie romanesque, comédie d'intrigue, comédie réaliste, elle contient trop de frustration et de violence pour ne pas laisser dans l'esprit du public **un certain malaise**. L'âpreté au gain d'Harpagon et de Cléante, la haine entre le père et le fils, l'immoralité à des degrés divers des principaux personnages de la pièce (Harpagon, Valère, Frosine, maître Jacques) enlèvent à la comédie sa légèreté de principe, et les moments de détente ne rachètent pas les moments de tension : question de dosage peut-être ou tout simplement de perspective. En effet, dans *L'Avare*, la satire n'opère pas à coup sûr. Si elle démontre par le rire la gravité de certaines conduites ou de certaines idées, elle ne conduit pas le spectateur vers un monde meilleur : dans la pièce, les personnages n'évoluent pas et la magie du dénouement laisse les problèmes entiers.

UN RÉPERTOIRE
DE PROCÉDÉS COMIQUES

La multiplication des procédés comiques

Molière est un vrai professionnel du rire. Il dispose d'une palette extrêmement riche de procédés comiques qu'il sélectionne et amalgame au gré des scènes, en fonction des effets escomptés. Si l'inventaire de ces procédés fait apparaître une dominante (le comique de mots), l'analyse de l'appareil comique met en évidence la multiplication des procédés dans chaque scène : c'est par l'assemblage et par la charge que Molière maintient la pression comique dans l'ensemble de la pièce. Il met en place un système comique qui repose sur deux principes : d'une part, chaque procédé, pris isolément, a une valeur comique, d'autre part, un même procédé présenté dans un réseau de procédés, produit un effet comique décuplé. Par exemple dans la scène 2 de l'acte 3 : Harpagon (*en le battant*). « Vous êtes un sot, un maraud, un coquin et un impudent » (l. 243-244). Ici, le comique de gestes (Harpagon frappe maître Jacques) est associé au comique de mots (énumération). Chacun des deux procédés produit un effet comique mais les deux procédés conjugués forment une unité qui fonctionne comme un troisième procédé.

L'art du contraste

Dans *L'Avare* le comique a aussi cela de particulier dans l'Avare qu'il n'est pas exclusif : il entre dans une composition subtile où l'on trouve des tonalités plus austères ou plus graves : par exemple, dans la scène 2 de l'acte I, Cléante et Harpagon lèvent le masque sur leurs activités clandestines et se révèlent dans leurs rôles d'emprunteur et d'usurier. La démystification s'appuie sur des procédés empruntés au comique de mots (reprise, symétrie) et au comique de caractère (l'avarice d'Harpagon). Mais le rire met en évidence la duplicité des personnages, leur rapport ambigu à l'argent, leur violence, en même temps qu'elle nourrit le thème du mensonge. Au fil du dialogue, le rire s'inscrit en antithèse avec le signifié et le comique se nourrit de cette opposition.

Mais Molière utilise une autre technique pour donner aux scènes comiques tout leur impact : souvent il fait alterné une scène grave et une scène comique. Dans ce cas, c'est la rupture de ton qui renforce le comique. Par exemple, la scène 3 de l'acte I où le spectateur découvre le personnage d'Harpagon à travers ses démêlés avec La Flèche se nourrit du comique de mots, de caractère, de situation et de gestes. Mais cette scène tire également sa force comique de la place qu'elle occupe dans l'acte I : faisant suite aux scènes 1 et 2 de facture sentimentale, elle est suivie d'une scène dont l'essence est dramatique (Harpagon annonce ses projets matrimoniaux à ses enfants). C'est par cette alternance entre le rire et d'autres tonalités plus graves que Molière rythme le comique de la pièce.

Le comique de mots

L'absurde

HARPAGON. Je veux aller quérir la justice et faire donner la question à toute ma maison : à servantes, à valets, à fils, à fille, et à moi aussi (IV, 7, l. 23-25).

L'antithèse

MAÎTRE JACQUES. Eh oui ! elle est petite, si on le veut prendre par là ; mais je l'appelle grande pour ce qu'elle contient (V, 2, l. 84-86).

L'aparté

LA FLÈCHE. « Je n'ai jamais rien vu de si méchant que ce maudit vieillard, et je pense, sauf correction, qu'il a le diable au corps (I, 3, l. 4-6).

La caricature
HARPAGON. Surtout prenez garde de ne point frotter les meubles trop fort, de peur de les user » (III, 1, l. 5-7).

Le contresens
MAÎTRE JACQUES [...]. Qu'on me l'égorge tout à l'heure, qu'on me lui fasse griller les pieds, qu'on me le mette dans l'eau bouillante, et qu'on me le pende au plancher.

HARPAGON. Qui ? celui qui m'a dérobé ?

MAÎTRE JACQUES. Je parle d'un cochon de lait que votre intendant me vient d'envoyer, et je veux vous l'accommoder à ma fantaisie (V, 2, l. 1-9).

La déformation
LA FLÈCHE (*à propos de l'avare*). Je vous prête le bonjour (II, 4, l. 35).

L'énumération
LA FLÈCHE. Plus un luth de Bologne garni de toutes ses cordes ou peu s'en faut. Plus un trou-madame et un damier, avec un jeu de l'oie renouvelé des Grecs, fort propres à passer le temps lorsque l'on n'a que faire. Plus une peau d'un lézard de trois pieds et demi remplie de foin, curiosité agréable pour pendre au plancher d'une chambre (II, 1, l. 111-117).

La flatterie
FROSINE. Ah ! mon Dieu ! que vous vous portez bien ! et que vous avez là un vrai visage de santé !

HARPAGON. Qui ? moi ?

FROSINE. Jamais je ne vous vis un teint si frais et si gaillard (II, 5, l. 3-7).

L'interjection
MAÎTRE JACQUES. Eh ! eh ! eh ! [...] ah ! [...] ah ! [...] hé quoi ! [...] hé quoi (IV, 4, l. 1-10).

L'interruption de parole
MAÎTRE JACQUES. Rôt...

HARPAGON (*en lui mettant la main sur la bouche.*) Ah ! traître, tu manges tout mon bien ! (III, 1, l. 116-119).

L'ironie
VALÈRE. Sans dot ! Le moyen de résister à une raison comme celle-là !/Tout est renfermé la-dedans, et « sans dot » tient lieu de beauté, de jeunesse, de naissance, d'honneur, de sagesse et de probité. (I, 5, l. 61-63, 124-126).

La comparaison

LA FLÈCHE. Le seigneur Harpagon est de tous les humains l'humain le moins humain (II, 4, l. 25-26).

L'exagération

HARPAGON à LA MERLUCHE. Que viens-tu faire ici, bourreau ? (III, 9, l. 11).

La gradation

HARPAGON. C'en est fait, je n'en puis plus, je me meurs, je suis mort, je suis enterré ! (IV, 7, l. 16-17).

Le monologue

Ex. : le monologue d'Harpagon après le vol de la cassette (IV ,7).

L'opposition

VALÈRE. Il faut vivre pour manger et non pas manger pour vivre (III, 1, l. 140).

La personnification

HARPAGON. Hélas ! mon pauvre argent, mon pauvre argent, mon cher ami, on m'a privé de toi ! (IV, 7, l. 11-12).

Le paradoxe

FROSINE (*parlant d'Élise*). Les plus vieux sont pour elle les plus charmants (II, 5, l. 130-131).

La parodie

Ex. : la parodie du discours amoureux.

HARPAGON. Ne vous offensez pas, ma belle, si je viens à vous avec des lunettes. Je sais que vos appas frappent assez les yeux, sont assez visibles d'eux-mêmes, et qu'il n'est pas besoin de lunettes pour les apercevoir ; mais enfin c'est avec des lunettes qu'on observe les astres, et je maintiens et garantis que vous êtes un astre, mais un astre, le plus bel astre qui soit dans le pays des astres (III, 5, l. 1-8).

La répétition

HARPAGON. « Sans dot ! » (I, 5, l. 43, 50, 60).

La reprise

HARPAGON. Comment ! pendard, c'est toi qui t'abandonnes à ces coupables extrémités ?

CLÉANTE. Comment ! mon père, c'est vous qui vous portez à ces honteuses actions ! [...] (II, 3, l. 35-56).

La rupture de ton

CLÉANTE. Si j'en dois croire les apparences, je me persuade, mon père, qu'elle a quelque bonté pour moi.

HARPAGON (*bas, à part*). Je suis bien aise d'avoir appris un tel secret, et voilà justement ce que je demandais. (*Haut.*) Oh ! sus, mon fils, savez-vous ce qu'il y a ? C'est qu'il faut songer, s'il vous plaît, à vous défaire de votre amour » (IV, 3, l. 75-81).

La rupture de construction

LA FLÈCHE. Qu'est-ce que je vous ai fait ?

HARPAGON. Tu m'as fait que je veux que tu sortes

(I, 3, l. 11-12).

La satire.

Ex. : la satire de la justice.

LE COMMISSAIRE. Laissez-moi faire, je sais mon métier, Dieu merci. Ce n'est pas d'aujourd'hui que je me mêle de découvrir des vols, et je voudrais avoir autant de sacs de mille francs que j'ai fait pendre de personnes (V, 1, l. 1-4).

La symétrie

ÉLISE (*faisant une révérence*). Je ne veux point me marier, mon père s'il vous plaît.

HARPAGON (*contrefaisant sa révérence*). Et moi, ma petite fille, ma mie, je veux que vous vous mariiez, s'il vous plaît.

ÉLISE. Je vous demande pardon, mon père.

HARPAGON. Je vous demande pardon, ma fille (I, 5, l. 175-182).

La tautologie

HARPAGON. Je crois ce que je crois (I, 3, l. 87).

Le comique de caractère

L'avarice

HARPAGON. Et puisque tu m'es enlevé, j'ai perdu mon support, ma consolation, ma joie ; tout est fini pour moi, et je n'ai plus que faire au monde ! Sans toi, il m'est impossible de vivre (IV, 7, l. 11-15).

La crédulité

HARPAGON. Cela est admirable ! voilà ce que je n'aurais jamais pensé, et je suis bien aise d'apprendre qu'elle est de cette humeur. En effet, si j'avais été femme, je n'aurais point aimé les jeunes hommes (II, 5, l. 150-154).

Le cynisme

FROSINE. Vous moquez-vous ? Vous ne l'épouserez qu'aux conditions de vous laisser veuve bientôt ; et ce doit être là un des articles du contrat. Il serait bien impertinent de ne pas mourir dans trois mois ! (III, 5, l. 39-42).

La démesure

HARPAGON. [...] et je veux que vous arrêtiez prisonniers la ville et les faubourgs (V, 1, l. 21-22).

La fausseté

HARPAGON. Plût à Dieu que je les eusse, dix mille écus ! [...] Ce serait une bonne affaire pour moi [...] j'en aurais bon besoin [...] Cela m'accommoderait fort (I, 4, l. 40, 43, 45, 47).

L'insolence

LA FLÈCHE. Je dis que la peste soit de l'avarice et des avaricieux.

HARPAGON. De qui veux-tu parler ?

LA FLÈCHE. Des avaricieux.

HARPAGON. Et qui sont-ils, ces avaricieux ?

LA FLÈCHE. Des vilains et des ladres (I, 3, l. 75-81).

La vanité

HARPAGON. Tu me trouves bien ?

FROSINE. Comment ! vous êtes à ravir, et votre figure est à peindre (II, 5, l. 176-178).

Le comique de situation

L'absurde

HARPAGON. Viens çà, que je voie. Montre-moi tes mains.

LA FLÈCHE. Les voilà.

HARPAGON. Les autres.

LA FLÈCHE. Les autres ?

HARPAGON. Oui.

LA FLÈCHE. Les voilà (I, 3, l. 47-53).

Le coup de théâtre

HARPAGON (*il crie au voleur dès le jardin, et vient sans chapeau*). Au voleur ! au voleur ! à l'assassin ! au meurtrier ! justice, juste ciel ! je suis perdu, je suis assassiné ! On m'a coupé la gorge, on m'a dérobé mon argent ! (IV, 7, l. 1-5).

Le dialogue de sourds

FROSINE. Je vous prie, monsieur, de me donner le petit secours que je vous demande (*Il reprend un air sérieux.*). Cela me remettra sur pied, et je vous en serai éternellement obligée.

HARPAGON. Adieu, je vais achever mes dépêches.

FROSINE. Je vous assure, monsieur, que vous ne sauriez jamais me soulager dans un plus grand besoin.

HARPAGON. Je mettrai ordre que mon carosse soit tout prêt pour vous mener à la foire (II, 5, l. 220-228).

L'imposture

HARPAGON. La charité, maître Simon, nous oblige à faire plaisir aux personnes lorsque nous le pouvons (II, 2, l. 17-19).

L'inclusion du public

HARPAGON. De grâce, si l'on sait des nouvelles de mon voleur, je supplie que l'on m'en dise. N'est-il point caché là parmi vous ? Ils me regardent tous et se mettent à rire. Vous verrez qu'ils ont part, sans doute, au vol que l'on m'a fait (IV, 7, l. 30-34).

Le langage à double sens

CLÉANTE. Hé bien, puisque vous voulez que je parle d'autre façon, souffrez, madame, que je me mette ici à la place de mon père, et que je vous avoue que je n'ai rien vu dans le monde de si charmant que vous ; que je ne conçois rien d'égal au bonheur de vous plaire (III, 7, l. 55-59).

Le quiproquo

HARPAGON. Hé ! dis-moi donc un peu : tu n'y as point touché ?

VALÈRE. Moi, y toucher ! Ah ! vous lui faites tort, aussi bien qu'à moi ; et c'est d'une ardeur toute pure et respectueuse que j'ai brûlé pour elle.

HARPAGON (*à part*). Brûlé pour ma cassette !

VALÈRE. J'aimerais mieux mourir que de lui avoir fait paraître aucune pensée offensante : elle est trop sage et trop honnête pour cela.

HARPAGON (*à part*). Ma cassette trop honnête !

(V, 3, l. 102-111).

Le comique de gestes

Les allers et venues

MAÎTRE JACQUES. (*Il vient trouver Cléante à l'autre bout du théâtre./Il revient à Harpagon./Il va au fils.*) [IV, 4, l. 26, 42, 54].

Le changement de costume
MAÎTRE JACQUES. Attendez donc s'il vous plaît. (*Il ôte sa casaque de cocher et paraît vêtu en cuisinier.*) [III, 1, l. 76-77].

La chute
LA MERLUCHE. (*Il vient en courant et fait tomber Harpagon.*) Monsieur... (III, 9, l. 1-2).

Les coups
HARPAGON (*en le battant*). Vous êtes un sot, un maraud, un coquin et un impudent (III, 1, l. 243-44).

Les coups de bâton
VALÈRE. Vous me rosserez, dites-vous ?
MAÎTRE JACQUES. Je le disais en raillant.
VALÈRE. Et moi, je ne prends point de goût à votre raillerie (*il lui donne des coups de bâton*). Apprenez que vous êtes un mauvais railleur (III, 2, l. 33-37).

La feinte
HARPAGON. Tu m'as fait plaisir, maître Jacques, et cela mérite une récompense. Va, je m'en souviendrai, je t'assure. (*Il tire son mouchoir de sa poche, ce qui fait croire à maître Jacques qu'il va lui donner quelque chose.*) [IV, 4, l. 79-83].

La fouille
LA FLÈCHE. Je dis que vous fouillez bien partout pour voir si je vous ai volé.
HARPAGON. C'est ce que je veux faire. (*Il fouille dans les poches de La Flèche.*) [I, 3, l. 67-69].

Les jeux de physionomie
HARPAGON. (*Il prend un air sévère./Il prend un air gai./Il reprend son visage sévère./Il reprend un air gai./Il reprend un air sérieux.*) [II, 5, l. 196-224].

Le soufflet
HARPAGON. Tu fais le raisonneur ! Je te baillerai de ce raisonnement-ci par les oreilles. (*Il lève la main pour lui donner un soufflet.*) Sors d'ici, encore une fois (I, 3, l. 41-43).

Lexique

VOCABULAIRE CRITIQUE

acte : partie d'une pièce de théâtre qui marque une étape dans le déroulement de l'action. Chaque acte comprend une série de scènes et forme une unité.

action : série d'événements qui, dans une histoire, nourrissent l'intrigue.

aparté : paroles qu'un personnage s'adresse tout bas à lui-même.

burlesque : variété de comique fondé sur l'exagération et l'extravagance.

comique : procédés par lesquels un auteur dramatique éveille le rire du spectateur. On distingue : le comique de mots, le comique de caractère, le comique de situation, le comique de gestes.

commedia dell'arte : comédie populaire d'origine italienne, où les personnages improvisent leur rôle à partir d'un canevas conventionnel.

coup de théâtre : événement inattendu, révélation qui change subitement le cours de l'action. Technique fréquemment adoptée dans le dénouement d'une pièce.

dénouement : conclusion de l'intrigue. Se prépare dès les premières scènes du dernier acte d'une pièce.

dialogue : ensemble des répliques échangées entre plusieurs personnages.

exposition : ouverture d'une pièce de théâtre. Les scènes d'exposition occupent le premier acte et permettent de présenter les personnages principaux, la situation de départ, les thèmes essentiels de la pièce, le lieu et le temps de l'action.

farce : pièce comique de forme courte, héritée du théâtre latin et du théâtre du Moyen Âge. Exploite un comique facile, à partir de situations et de personnages stéréotypés.

fonction : utilité d'un personnage, d'un thème ou d'une situation dans le mécanisme d'une pièce.

intérêt dramatique : impact d'une scène, d'un événement, d'une réplique sur le spectateur.

intrigue : scénario autour duquel se construit une histoire.

monologue : discours d'un personnage qui occupe seul la scène.

parodie : comique fondé sur l'imitation ; discours ou attitude d'emprunt.

quiproquo : contresens sur une situation ou sur des paroles ; un des procédés essentiels de la comédie.

réplique : chaque prise de parole d'un personnage.

rôle : emploi qu'occupe un personnage dans une pièce.

satire : comique fondé sur le ridicule. La satire a une vocation morale : elle se propose de corriger les vices des hommes par la peinture de leurs défauts.

scène : partie d'un acte qui correspond à l'entrée ou à la sortie d'un ou de plusieurs personnages ; une scène constitue une unité.

tirade : longue réplique qu'un personnage récite d'un seul souffle.

unité d'action : règle du théâtre classique selon laquelle une pièce ne doit développer qu'une seule intrigue.

unité de lieu : règle du théâtre classique selon laquelle une pièce doit se dérouler dans un lieu unique.

unité de temps : règle du théâtre classique selon laquelle l'action d'une pièce ne doit pas excéder vingt-quatre heures.

VOCABULAIRE DE L'ŒUVRE

amant : qui aime et est aimé ; amoureux, prétendant.

amitié : amour. Ce mot peut être utilisé pour désigner l'attachement qui existe entre les personnes d'une même famille.

assez : beaucoup.

blondin : jeune homme élégant (à cette époque, les jeunes élégants portaient des perruques blondes).

céans : ici, à l'intérieur de la maison.

charmes : attrait, grâce, appâts.

Ciel : terme de bienséance pour désigner Dieu.

damoiseau : jeune homme soucieux de plaire aux femmes.

déplaisir : désespoir.

doute (sans) : sans aucun doute.

entendre : comprendre ; vouloir.

fesse-mathieu : usurier.

feux : passion (style précieux).

flamme : amour (style précieux).

foi : fidélité amoureuse, engagement (style précieux).

fortune : sort.

hardes : vêtements ; mobilier d'une chambre.

haut-de-chausses : partie de l'habit masculin qui couvre la partie inférieure du corps (jusqu'aux genoux).

impertinent : déraisonnable, extravagant.

ladre : avare, vilain malpropre.

maîtresse : femme aimée.

pourpoint : partie de l'habit masculin qui couvre la partie supérieure du corps.

ragoût : bon petit plat.

rien : quelque chose.

souffrir : permettre, tolérer.

tout à l'heure : sur le champ

vœux : amour (style précieux).

Quelques citations

Portrait d'Harpagon

« Le seigneur Harpagon est de tous les humains l'humain le moins humain, le mortel de tous les mortels le plus dur et le plus serré. » (La Flèche à Frosine, II, 4, l. 25-27.)

L'avarice

« [...] la peste soit de l'avarice et des avaricieux ! » (La Flèche à Harpagon, I, 3, l. 76-77.)

« Voilà où les jeunes gens sont réduits par la maudite avarice des pères ; et on s'étonne, après cela, que les fils souhaitent qu'ils meurent. » (Cléante à La Flèche, II, 1, l. 134-137.)

« Il n'est rien de plus sec et de plus aride que ses bonnes grâces et ses caresses, et "donner" est un mot pour qui il a tant d'aversion qu'il ne dit jamais : "Je vous donne", mais "Je vous prête le bonjour". » (La Flèche à Frosine, à propos d'Harpagon, II, 4, l. 32-35.)

« Hélas ! mon pauvre argent, mon pauvre argent, mon cher ami, on m'a privé de toi ! Et puisque tu m'es enlevé, j'ai perdu mon support, ma consolation, ma joie ; tout est fini pour moi, et je n'ai plus que faire au monde ! Sans toi, il m'est impossible de vivre. » (Harpagon, IV, 7, l. 11-16.)

L'argent

« Et que nous servira d'avoir du bien, s'il ne nous vient que dans le temps que nous ne serons plus dans le bel âge d'en jouir [...] ? » (Cléante à Élise, I, 2, l. 78-80.)

« Qui est plus criminel, à votre avis, ou celui qui achète un argent dont il a besoin, ou bien celui qui vole un argent dont il n'a que faire ? » (Cléante à Harpagon, II, 3, l. 59-61.)

L'amour

« Tous les hommes sont semblables par les paroles, et ce n'est que les actions qui les découvrent différents. » (Élise à Valère, I, 1, l. 28-29.)

Le mariage

« Il est vrai que votre fille peut vous représenter que le mariage est une plus grande affaire qu'on ne peut croire ; qu'il y va d'être heureux ou malheureux toute sa vie, et qu'un engagement qui doit durer jusqu'à la mort ne se doit jamais faire qu'avec de grandes précautions. » (Valère à Harpagon, I, 5, l. 37-42.)

« Lorsqu'on s'offre de prendre une fille sans dot, on ne doit point regarder plus avant. Tout est renfermé là-dedans, et "sans dot" tient lieu de beauté, de jeunesse, de naissance, d'honneur, de sagesse et de probité. » (Valère à Harpagon, I, 5, l. 122-126.)

« Mon Dieu, tous ces blondins sont agréables et débitent fort bien leur fait, mais la plupart sont gueux comme des rats, et il vaut mieux pour vous de prendre un vieux mari qui vous donne beaucoup de bien. » (Frosine à Mariane, III, 5, l. 25-29.)

La jeunesse

« La fille est jeune, comme tu vois, et les jeunes gens d'ordinaire n'aiment que leurs semblables, ne cherchent que leur compagnie. » (Harpagon à Frosine, II, 5, l. 115-117.)

« Trouver la jeunesse aimable ! est-ce avoir le sens commun ? Sont-ce des hommes que de jeunes blondins ? et peut-on s'attacher à ces animaux-là ? » (Frosine à Harpagon, II, 5, l. 163-166.)

L'autorité paternelle

« Je sais que je dépends d'un père, et que le nom de fils me soumet à ses volontés ; que nous ne devons point engager notre foi sans le consentement de ceux dont nous tenons le jour ; que le ciel les a fait les maîtres de nos vœux, et qu'il nous est enjoint de n'en disposer que par leur conduite [...]. » (Cléante à Élise, I, 2, l. 10-15.)

La flatterie, le mensonge et la vérité

« J'éprouve que, pour gagner les hommes, il n'est point de meilleure voie que de se parer à leurs yeux de leurs inclinations, que de donner dans leurs maximes, encenser leurs défauts et applaudir à ce qu'ils font [...], ce n'est pas la faute de ceux qui flattent, mais de ceux qui veulent être flattés. » (Valère à Élise, I, 1, l. 92-104.)

« Hélas ! comment faut-il donc faire ? On me donne des coups de bâton pour dire vrai, et on me veut pendre pour mentir. » (Maître Jacques, V, 6, l. 49-51.)

La nourriture
« Il faut manger pour vivre et non pas vivre pour manger. » (Valère à maître Jacques, III, 1, l. 134.)

Jugements critiques

XVIIᵉ SIÈCLE

« J'avertis que le sieur Molière (…)
Donne à présent sur son théâtre,
Où son génie est idolâtre,
Un *Avare* qui divertit,
Non pas, certes, pour un petit,
Mais au-delà de ce qu'on peut dire,
Car, d'un bout à l'autre, il fait rire.
Il parle en prose et non en vers ;
Mais nonobstant les goûts divers,
Cette prose est si théâtrale,
Qu'en douceur les vers elle égale.
Au reste, il est si bien joué
(C'est un fait de tous avoué)
Par toute sa troupe excellente,
Que cet *Avare* que je chante,
Est prodigue en gais incidents,
Qui font des mieux passer le temps. »

Robinet, Lettre du 15 septembre 1668.

« Cependant il ne saisissait pas toujours le public d'abord ;
il l'éprouva dans son *Avare*. À peine fut-il représenté sept fois.
La prose dérouta ce public. "Comment, disait M. le Duc de X,
Molière est-il fou et nous prend-il pour des bénêts, de nous
faire essuyer cinq actes de prose ? A-t-on jamais vu plus d'extravagance ? Le moyen d'être diverti par de la prose !" Mais Molière
fut bien vengé de ce public injuste et ignorant quelques années
après ; il donna son Avare pour la seconde fois le 9 septembre
1668. On y fut en foule et il fut joué presque toute l'année :
tant il est vrai que le public goûte rarement les bonnes choses
quand il est dépaysé ! Cinq actes en prose l'avaient dérouté la
première fois ; mais la lecture et la réflexion l'avaient ramené,
et il fut voir avec empressement une pièce qu'il avait mépri-
sée dans les commencements. »

Grimarest, Vie de Molière, 1705.

« Molière a outré les caractères : il a voulu, par cette liberté, plaire au parterre, frapper les spectateurs les moins délicats, et rendre le ridicule plus sensible. Mais quoiqu'on doive marquer chaque passion dans son plus fort degré et par ses traits les plus vifs, pour en mieux montrer l'excès, la difformité, on n'a pas besoin de forcer la nature et d'abandonner le vraisemblable. Ainsi, malgré l'exemple de Plaute, où nous lisons « *Cedo Tertiam* », je soutiens, contre Molière, qu'un avare qui n'est point fou ne va jamais jusqu'à vouloir regarder dans la troisième main de l'homme qu'il soupçonne de l'avoir volé [...].

En pensant bien, il (*Molière*) parle souvent mal ; il se sert des phrases les plus forcées et les moins naturelles [...]. J'aime bien mieux sa prose que ses vers. Par exemple, *L'Avare* est moins mal écrit que les pièces en vers. »

Fénelon, *Lettre sur les occupations
de l'Académie française*, chap. VII, 1716.

« Ceux qui connaissent le théâtre trouveront dans la peinture des caractères cette vérité qui est si nécessaire à la scène ; ils y découvriront l'art ingénieux du poète dans la conduite, dans les liaisons, et dans le nœud de l'action ; car bien que l'action soit double, le caractère de l'avare a réuni et confondu, pour ainsi dire, les deux actions. »

Louis Riccoboni, *Observations sur la comédie
et sur le génie de Molière*, 1736.

« C'est un grand vice d'être avare et de prêter à l'usure, mais n'en est-ce pas un plus grand encore à un fils de voler son père, de lui manquer de respect, de lui faire mille insultants reproches, et, quand ce père irrité lui donne sa malédiction, de répondre d'un air goguenard, qu'il n'a que faire de ses dons ? Si la plaisanterie est excellente, en est-elle moins punissable ? et la pièce où l'on fait aimer le fils insolent qui l'a faite en est-elle moins une école de mauvaises mœurs ? »

Jean-Jacques Rousseau, *Lettre à d'Alembert*, 1758.

« *L'Avare* est une de ses pièces où il y a le plus d'intentions et d'effets comiques [...]. Le seul défaut de la pièce est de finir par un roman postiche [...] Mais à cette faute près, quoi de mieux conçu que *L'Avare* ? L'amour même ne le rend pas libéral, et la flatterie la mieux adaptée à un vieillard amoureux n'en peut rien arracher. »

La Harpe, *Lycée, ou Cours*
de littérature ancienne et moderne, 1799.

XIXᵉ SIÈCLE

« *L'Avare*, dans lequel le vice détruit toute la piété qui unit le père et le fils, a une grandeur extraordinaire et est à un haut degré tragique. »

Gœthe, *Conversations avec Eckermann* (en 1825).

« La comédie ne va pas sans ombre d'ennui. Je me défierais de cette sensation si elle m'était personnelle ; mais je l'ai vue partagée par bien des gens, et depuis tantôt treize années que je vois *L'Avare* en moyenne trois ou quatre fois par an, il m'a semblé que le public, sans trop se l'avouer, en était comme attristé. »

Francisque Sarcey, *Le Temps*, 13 octobre 1873.

XXᵉ SIÈCLE

« *L'Avare* est peut-être la pièce où l'élément universel est le plus dégagé : Harpagon est le plus abstrait des caractères de Molière : il est avare en soi ; l'usurier du XVIIᵉ siècle n'apparaît qu'à une minutieuse étude. C'est que le vice d'Harpagon se prêtait à cette expression abstraite, et la tradition littéraire depuis des siècles préparait le type classique, universel de l'avare : l'avare qui enterre son or. Ce type contredisait le portrait contemporain, et lui barrait la route. »

Gustave Lanson, *Histoire de*
la littérature Française, 1894.

« La peinture de l'avarice se ramène à une suite de numéros de répertoire. Molière ne raisonne pas d'après un caractère, mais d'après des scènes à faire. »

P. Brisson, *Molière, sa vie dans*
ses œuvres, Gallimard, 1942.

« Harpagon s'imagine entouré d'ennemis. Molière a poussé ce trait chez lui jusqu'aux limites de la folie : tout ce qu'il voit, dit-il lui-même, lui semble son voleur. Harpagon joint ainsi l'extrême stylisation de la caricature à la vérité psychologique la plus directe. Molière a donné en lui la formule abstraite d'une mentalité réelle, qu'on peut nommer bougeoise, en désignant par ce mot, d'accord avec tout le XVIIe siècle, une forme d'exixtence morale inférieure, impuissante à réaliser le beau caractère humain. »

Paul Bénichou, *Morales du grand siècle*,
Gallimard, 1948.

« Si Harpagon est ridicule ce n'est pas parce qu'il est avare. L'avarice peut être tragique aussi bien que comique. C'est que sa position sociale, sa situation de chef de famille et son amour pour Mariane le jettent dans la contradiction. »

René Bray, *Molière, homme de théâtre*,
Mercure de France, 1954.

« [...] Molière lui-même m'ennuyait. Ces histoires d'avares, d'hypocrites, de cocus ne m'intéressaient pas. Son esprit a-métaphysique me déplaisait. Shakespeare mettait en cause la totalité de la condition et du destin de l'homme. Les problèmes moliéresques me semblaient tout compte fait, relativement secondaires, parfois douloureux, dramatiques même, jamais tragiques ; car pouvant être résolus. »

Eugène Ionesco, *Notes et Contre-notes*, 1958.

« Pourquoi l'avarice ? Sans doute parce que c'est essentiellement le vice bourgeois. A-t-il pensé à son père ? rien ne le prouve. Il a sûrement pensé aux bourgeois qu'il a connus, qui était devenus une classe possédante en serrant les cordons de leur bourse. L'avarice bourgeoise, en ce temps-là, s'oppose comme un reproche à la prodigalité des aristocrates. Les nobles méprisent les bourgeois qui sentent la boutique et le comptoir. Les bourgeois se vengent en ruinant les nobles et en les regardant galoper à leur ruine. Harpagon est le représentant forcené de la classe qui amasse, à laquelle Louis XIV donne le pouvoir. En crispant ses doigts sur sa cassette, il essaie de retenir cette puissance que la jeunesse et l'amour lui arrachent. »

Paul Guth, *Histoire de la Littérature française, Des origines épiques au siècle des Lumières*, Fayard, 1967.

« [...] *L'Avare*, écrit hâtivement, sans que Molière ait eu même le temps de le versifier, est précisément instructif par le contraste de sa profondeur psychologique avec sa négligence de métier ; l'étude du vieillard avare et amoureux est du Molière homme de génie ; les plaisanteries faciles, les lazzi sans portée, l'exposition lourde et laborieuse et la langueur du dénouement appartiennent au directeur pressé, que talonne le besoin d'attirer le public et de faire vivre sa troupe. »

Félix Gaiffe, *Le Rire et la scène française*,
Slatkine Reprints, 1970.

« Acteur, il a imité le jeu expressif et l'action des farceurs français et des comédiens italiens. Les procédés farcesques évitaient de verser dans le tragique. Du thème de l'avare, Diderot eût fait un drame bourgeois, or des gags maintiennent la tonalité comique : en courant, La Merluche fait tomber Harpagon ; maître Jacques menace de rosser Valère, c'est Valère qui le bâtonne, etc. »

Raymond Lebègue, *Études sur le théâtre français*,
tome II, Nizet, 1978.

« Le personnage se généralise à mesure que la pièce avance, en raison du fait que, revenant sans cesse frapper notre regard, les mêmes traits se trouvent finalement retenus aux dépens des traits secondaires ; comme si d'une infinité d'avares différents l'on extrayait peu à peu l'idée de l'Avare exemplaire qui les représente tous. »

Georges Poulet, *Études sur le temps humain*,
Librairie Plon, 1964.

« Si la comédie de *L'Imposteur* est la plus troublante que Molière ait écrite, celle de *L'Avare* est la plus dure. J'allais dire : la plus méchante ; ou mieux la plus ingrate.

Ce n'est point de l'amertume, mais une aridité qui est dans les caractères, et dans le souffle trop violent des passions qui attise les âmes sans les attendrir. La jeunesse elle-même, que Molière adorait, en est moins exaltée que flétrie. Sa fleur est détruite. Elle n'a plus son beau visage. »

Jacques Copeau, *Registre II, Molière*, Gallimard, 1976.

Index thématique

ANNEXES

Plan et sujets de travaux

PLAN DE DISSERTATION

Sujet : la plupart des critiques trouvent chez Molière un fond permanent de gravité. La comédie de *L'Avare* est-elle complètement comique ?

Introduction

La définition de la comédie insiste sur le caractère divertissant d'un genre systématiquement associé au rire. *L'Avare* s'inscrit bien dans la tradition : depuis sa création, cette comédie, qui reste une des références du théâtre comique français, renvoie bien de Molière l'image d'un amuseur. Pourtant, la pièce met en scène des personnages, des situations et des enjeux dont le comique, analysé à la lumière de la morale, peut paraître douteux.

Première partie, thèse :
L'Avare, une pièce comique

1. Le comique de mots : les reprises, les répétitions, les figures de style (antithèse, personnalisation, hyperbole, comparaison, métaphore), les ruptures de construction, etc.

2. Le comique de caractère : le tempérament obsessionnel d'Harpagon, la nature emportée de Cléante, la naïveté de maître Jacques, la méthode cauteleuse du commissaire, le bon sens et l'activisme de La Flèche, la ruse de Frosine.

3. Le comique de situation : les quiproquos (II, 2 ; IV, 5 ; V, 3) ; la scène de la bague (III, 7) ; la réaction d'Harpagon au vol de la cassette (IV, 7) ; l'interrogatoire de maître Jacques par le commissaire (V, 2).

4. Le comique de gestes : les jeux scéniques : la fouille de La Flèche (I, 3) ; maître Jacques battu par Harpagon puis par Valère (III, 1, 2) ; la scène de la bague (III, 7).

Seconde partie, antithèse :
L'Avare, une pièce grave

1. La violence des personnages :

– Harpagon exerce une violence mentale et physique sur son entourage. Il règne en despote sur ses enfants et sur son personnel. Le droit paternel lui donne tout pouvoir sur Cléante et sur Élise, tandis que sa supériorité sociale lui permet de dominer ses domestiques.

– Cléante est aussi coléreux que son père, mais il n'est pas cruel. Sa violence est essentiellement verbale (*cf.* les scènes d'affrontement).

– La violence de la pièce s'exprime à travers des conflits, des ordres, des menaces, des coups qui affectent le climat de la comédie.

2. Des personnages inquiétants :

– Le cynisme de Valère, défenseur du mensonge et de la flatterie, sa justification et sa pratique de l'imposture (I, 1) en font un personnage redoutable. Sortie du contexte de la pièce, sa logique pourrait conduire aux pires actions.

– Maître Jacques, par esprit de vengeance, calomnie Valère et montre qu'on peut faire pendre un homme sur une simple dénonciation.

– Les méthodes policières du commissaire envoient une image troublante de la justice : pression exercée sur les témoins, désignation d'un coupable sans preuves, manipulation de la vérité.

3. Des problèmes d'ordre philosophique :

– L'argent face à l'individu, la famille, la société.

– La problématique mensonge/vérité.

– La question de l'autorité paternelle : où commence et où finit le droit paternel ?

– La nature et la signification du mariage.

Conclusion

L'Avare est une comédie : la pièce exploite toutes les ressources comiques d'un genre dont la vocation avouée est de faire rire. Cependant, on vérifie dans cette comédie – comme dans d'autres – la profondeur de toute satire. Si la farce produit un rire sans mélange, la satire, elle, parce qu'elle contient une part de critique, est plus sérieuse. Elle ouvre la voie à une réflexion qui est rarement exempt de gravité.

SUJETS DE DISSERTATION

Molière moraliste

1. « Molière est triste, bien plus que Pascal » a écrit François Mauriac. Commentez cette opinion à la lumière de *L'Avare*.

2. Est-ce que *L'Avare* est une pièce violente ?

3. Satire et farce dans *L'Avare*.

L'actualité de la pièce

La comédie de *L'Avare* est-elle encore actuelle ? Vous étudierez ce qui, dans la pièce, appartient définitivement au passé et ce qui, au contraire, présente une actualité.

La technique de la comédie

1. Réalisez l'inventaire et l'analyse des procédés comiques utilisés par Molière dans *L'Avare*.

2. Par quels aspects la pièce de *L'Avare* répond-elle à la définition de la comédie ?

3. La comédie de *L'Avare* est-elle une pièce classique ?

4. « Comédie d'intrigue, *L'Avare* est en même temps une comédie de l'intimité familiale. » Justifiez ce point de vue de Pierre Voltz (*La Comédie*, Armand Colin, 1964) sur la pièce.

Les thèmes essentiels de la pièce

1. Étudiez la relation maître-valet dans *L'Avare*.

2. Quelle image de l'amour et du mariage Molière renvoie-t-il dans *L'Avare* ?

Les caractères de *L'Avare*

1. Analysez le type de la jeune fille à travers les personnages d'Élise et de Mariane.

2. Faites une étude comparée de Valère et de Cléante dans leur rôle d'amoureux.

3. Faites une étude comparée de La Flèche et de maître Jacques dans leur fonction de domestique.

Bibliographie essentielle

Éditions

MOLIÈRE, *Œuvres complètes*, éd. Georges Couton, « Bibliothèque de la Pléiade », Gallimard, 1983 (2 volumes).

MOLIÈRE, *Œuvres complètes*, éd. Georges Mongrédien, GF-Flammarion, 1979 (4 volumes).

Études sur le XVIIe siècle

Antoine ADAM, *Le Théâtre classique*, coll. « Que sais-je ? », PUF, 1970.

Antoine ADAM, *Histoire de la littérature française au XVIIe siècle*, t. 3, Domat, 1952.

Paul BÉNICHOU, *Morales du grand siècle*, Gallimard, 1948.

F. BLUCHE, *La Vie quotidienne au temps de Louis XIV*, coll. « La Vie quotidienne », Hachette, 1980.

G. MONGRÉDIEN, *La Vie quotidienne des comédiens au temps de Molière*, coll. « La Vie quotidienne », Hachette, 1966.

Études sur la comédie

Félix GAIFFE, *Le Rire et la scène française*, Slatkine Reprints, 1970.

Raymond LEBÈGUE, *Études sur le théâtre français*, t. II, Nizet, 1978.

Bernadette REY-FLAUD, *La Farce ou la machine à rire, Théorie d'un genre dramatique* (1450-1550), Droz, 1984.

Pierre VOLTZ, *La Comédie*, coll. « U », Armand Colin, 1964.

Études sur Molière

René BRAY, *Molière, homme de théâtre*, Mercure de France, 1954.

Gabriel CONESA, *Le Dialogue moliéresque, étude stylistique et dramaturgique*, PUF, 1983.

Gérard DEFAUX, *Molière ou les métamorphoses du comique : de la comédie morale au triomphe de la folie*, French Forum Publishers, 1980.

Maurice Descote, *Les Grands rôles du théâtre de Molière*, PUF, 1960.

Marcel Gutwirth, *Molière ou l'invention comique*, coll. « Lettres modernes », Minard, 1966.

Filmographie

L'Avare, mise en scène de Jean Girault, 1979, avec Louis de Funès dans le rôle d'Harpagon.

Molière, film réalisé par Ariane Mnouchkine, 1978.

ANNEXES

Aubin Imprimeur

LIGUGÉ, POITIERS

IMPRESSION – FINITION

Achevé d'imprimer en mai 1995
N° d'édition 10024928 (I) 3 OSBV 80°
N° d'impression L 49165
Dépôt légal mai 1995 / Imprimé en France